초보자도 쉽게 배울 수 있는!!

기초아랍어
會話

編輯部 編

*초보자를 위한 기초 아랍어 회화!!

쉽게 정복하는 아랍어 회화!!
아랍어 회화를 위한 기초문법/ 기초 아랍어회화

太乙出版社

● 초보자도 쉽게 배울 수 있는

기초 아랍어 會話

編輯部 編

太乙出版社

첫머리에 ✳

아랍어회화 초보자를 위하여

해외 진출 붐이 일어나면서 우리나라 경제계에서는 오래 전부터 아랍어권에 기술 인력을 투자해 오고 있다. 선진 각국과 자유 경쟁적인 입장이 되어 아랍어권 투자 티켓 경쟁에 참여하게 된 것이다. 그 결과 사우디아라비아, 리비아, 이란, 이라크, 예멘 등지로 우리나라 기술인력이 대거 투입되었고 지금도 일선 현장에서 사막의 풍요를 창조하기 위한 노력을 경주하고 있다.

한때는 중동전쟁으로 인하여 해외 인력 파견이 잠시 중단되기도 했었으나 중동의 평화가 찾아오면서 다시금 해외 인력과 기술의 수급 문제가 활발히 논의되고 있고, 대기업에서는 서둘러 중동의 각국에 우리나라의 기술 인력 투입을 시도하고 있는 줄로 안다.

우리나라에 비하여 상당히 낙후된 지역개발과 기술개발의 난제를 안고 있는 이들 중동의 제나라에 진출하여 외화를 벌어들인다는 것은 어간 바람

직한 일이 아닐 수 없다.

그런데 중동의 각국에 나가서 직접 현장 생활을 하거나 그들 나라와 교섭 등을 벌인 적이 있는 사람들이라면 누구나 다 절실하게 필요성을 느끼는 것 중의 하나는 바로 아랍어 회화에 관한 지식의 습득이라는 것이다. 영어와는 달리 글자의 생김새부터가 특이한 아랍어는 언뜻 보아서는 도무지 이해할 수 없는 학문일 것만 같다. 그러나 이 지구상의 많은 민족들이 그들의 언어로 지정하여 사용하고 있는 언어이므로 분명히 누구든지 배울 수는 있게끔 만들어져 있는 문자요 언어인 것이다.

아랍어가 생소하게 느껴지고, 또한 매우 어려운 학문인 것처럼 느껴지는 까닭은 아마도 우리와는 생활 환경이 너무나도 판이하고 기후나 관습 등이 전혀 다르다는 데에서 오는 어떤 선입견 때문이 아닌가 한다. 아랍어도 분명히 누구나 쉽게 배울 수 있는 방법이 있는 것이다. 문제는 얼마나 관심을 가지고 노력하느냐에 달려있는 것이다.

우선 아랍어의 문자를 익히는 일에 정성을 쏟도록 하고, 그 다음으로는 여기에 소개되는 간단명료한 기본 문법을 익힌 다음, 실용적인 기초 회화를 본격적으로 외워 나간다면 머지않아 아랍어 회화에 대한 자신감이 생기게 될 것이다. 특히 이 책은 아랍어가 무엇인지도 모르는 완전 초보자를 위하여 기획·제작된 「기초 아랍어회화」가이드이다. 처음부터 끝까지 하나하나 반복 연습해 나간다면 머지않아 상당한 수준에 도달하게 될 것이다.

 아무쪼록 이 책으로 말미암아 독자 여러분의 아랍어 회화에 대한 이해와 지식의 신장이 점증되기를 진심으로 기원하는 바이다.

편저자 씀.

차 례

* 첫머리에 / 아랍어회화 초보자를 위하여 ······ 3

제1장 / 아랍어를 배우기 전에 알아야 할 알파벳

알파벳의 명칭 ················· 18

제2장 / 아랍어 회화를 위한 기초문법

1. 관사 ················· 22
2. 대명사 ················· 22
   (1) 지시대명사 ················· 22
   (2) 인칭대명사 ················· 22
   (3) 인칭대명사 접미어=접미인칭대명사 ··· 23
3. 명사 ················· 24
4. 동사 ················· 25

5. 형용사 ·· 26
6. 전치사 ·· 26
　(1) 접두전치사 ······································ 26
　(2) 독립전치사 ······································ 27

제3장 / 기초 아랍어 회화

1. 인사 (1) ··· 30
2. 인사 (2) ··· 32
3. 인사 (3) ··· 34
4. 소개 (1) ··· 36
5. 소개 (2) ··· 38
6. 소개 (3) ··· 40
7. 감사와 사과 (1) ································· 42
8. 감사와 사과 (2) ································· 44
9. 공항에서 (1) ······································ 46

10. 공항에서 (2)······················48
11. 공항에서 (3)······················50
12. 거리에서 (1)······················52
13. 거리에서 (2)······················54
14. 거리에서 (3)······················56
15. 거리에서 (4)······················58
16. 거리에서 (5)······················60
17. 거리에서 (6)······················62
18. 거리에서 (7)······················64
19. 호텔에서 (1)······················66
20. 호텔에서 (2)······················68
21. 호텔에서 (3)······················70
22. 호텔에서 (4)······················72
23. 호텔에서 (5)······················74
24. 호텔에서 (6)······················76
25. 교통 (1) ······················ 78

26. 교통 (2) ··· 80
27. 교통 (3) ··· 82
28. 쇼핑 (1) ··· 84
29. 쇼핑 (2) ··· 86
30. 쇼핑 (3) ··· 88
31. 쇼핑 (4) ··· 90
32. 식당에서 (1)··92
33. 식당에서 (2)··94
34. 식당에서 (3)··96
35. 식당에서 (4)··98
36. 식당에서 (5) ····································· 100
37. 다방에서 (1) ····································· 102
38. 다방에서 (2) ····································· 104
39. 전화 (1) ·· 106
40. 전화 (2) ·· 108
41. 전화 (3) ·· 110

42. 전화 (4) ················· 112
43. 전화 (5) ················· 114
44. 전화 (6) ················· 116
45. 병원, 약국 (1) ············ 118
46. 병원, 약국 (2) ············ 120
47. 병원, 약국 (3) ············ 122
48. 병원, 약국 (4) ············ 124
49. 병원, 약국 (5) ············ 126
50. 병원, 약국 (6) ············ 128
51. 은행에서 (1) ·············· 130
52. 은행에서 (2) ·············· 132
53. 은행에서 (3) ·············· 134
54. 우체국에서 (1) ············ 136
55. 우체국에서 (2) ············ 138
56. 우체국에서 (3) ············ 140
57. 우체국에서 (4) ············ 142

58. 우체국에서 (5) ················· 144
59. 전신국에서 ····················· 146
60. 셋집 (1) ························ 148
61. 셋집 (2) ························ 150
62. 날씨 ··························· 152
63. 계절 (1) ························ 154
64. 계절 (2) ························ 156
65. 계절 (3) ························ 158
66. 계절 (4) ························ 160
67. 시간 (1) ························ 162
68. 시간 (2) ························ 164
69. 시간 (3) ························ 166
70. 시간 (4) ························ 168
71. 시간 (5) ························ 170
72. 초대와 방문 (1) ················ 172
73. 초대와 방문 (2) ················ 174

74. 초대와 방문 (3)····················176
75. 초대와 방문 (4)····················178
76. 가족 (1) ··························180
77. 가족 (2) ··························182
78. 약속 ····························184
79. 스포츠 (1) ························186
80. 스포츠 (2) ························188
81. 스포츠 (3) ························190
82. 영화 (1) ··························192
83. 영화 (2) ··························194
84. 영화 (3) ··························196
85. 서비스 (1) ························198
86. 서비스 (2) ························200
87. 서비스 (3) ························202

제4장 / 아랍어 기본 실력 향상을 위한 수사, 요일, 월명

숫자의 명칭 ·· 206
서수 ··· 211
분수 ··· 213
요일 ··· 214
월명 ··· 215
이슬람력의 월명(月名) ································ 217

제5장 / 아랍어 실력기초를 위한 아랍어 문학 독해

주하 ─ 돕는 사람 ······································ 220
쉬와일과 쉬와일라 ······································ 230
어후만의 예언 ·· 232
마흐좁과 늑대 ·· 248

제 1 장

아랍어를 배우기 전에 알아야 할
알파벳

알파벳의 명칭

No.	독립형	명 칭	어말형	어중형	어두형	음가
1	ا	'alif(알리프)	ا			
2	ب	bā'(바-)	ب	ب	ب	b
3	ت	tā'(타-)	ت	ت	ت	t
4	ث	thā'(사-)	ث	ث	ث	th
5	ج	jim(쥐-ㅁ)	ج	ج	ج	j
6	ح	ḥā'(하-)	ح	ح	ح	ḥ
7	خ	khā'(카-)	خ	خ	خ	kh
8	د	dāl'(다-ㄹ)	د	د	د	d
9	ذ	dhāl(다-ㄹ)	ذ	ذ	ذ	dh
10	ر	rā'(라-)	ر	ر	ر	r
11	ز	zāy'(자-이)	ز	ز	ز	z
12	س	sīn(씨-ㄴ)	س	س	س	s
13	ش	shīn(쉬-ㄴ)	ش	ش	ش	sh
14	ص	ṣād(솨-드)	ص	ص	ص	ṣ

No.	독립형	명 칭	어말형	어중형	어두형	음가
15	ض	ḍād(돠-드)	ض	ض	ض	ḍ
16	ط	ṭā'(똬-)	ط	ط	ط	ṭ
17	ظ	ẓā(좌-)	ظ	ظ	ظ	ẓ
18	ع	'ayn(아인)	ع	ع	ع	i
19	غ	ghayn(가인)	غ	غ	غ	gh
20	ف	fa'(파)	ف	ف	ف	f
21	ق	qāf(까-프)	ق	ق	ق	q
22	ك	kāf(카-프)	ك	ك	ك	k
23	ل	lām(라-ㅁ)	ل	ل	ل	l
24	م	mīm(미-ㅁ)	م	م	م	m
25	ن	nūn(누-ㄴ)	ن	ن	ن	n
26	ه	hā'(하-)	ه	ه	ه	h
27	و	wāw(와-우)	و	و	و	w
28	ي	ya'(야-)	ي	ي	ي	y

＊ 아랍어의 알파벳은 28자의 자음글자로 이루어져 있

으며 오른쪽에서 왼쪽을 향해 쓴다.

✳ 28자의 기본 알파벳 외에 음가를 갖고 있는 글자로 ء(함자)가 있으며, 명사와 형용사의 성에 있어서 여성을 나타내는 ة(타마르부타)가 있다.

✳ 참고로, ا(알리프)는 알파벳에 포함시키기는 하나, 음가는 없다.

제 2 장

아랍어 회화를 위한
기초문법

1. 관사

아랍어의 관사는 اَلْ 이며, 영어의 'the'와 거의 같은 의미이다. 관사는 명사 또는 형용사 앞에 붙인다.

예) 책   (키타-ㅂ)   كتاب
    그 책   (알 키타-ㅂ)   الكتاب

2. 대명사

(1) 지시 대명사

	남 성	여 성
이것, 이분:	(하-다) هذا	(하-디히) هذه
이분들:	(하울라-이) هؤلاء	
저것, 저분:	(다-리카) ذلك	(틸카) تلك
저분들:	(울라-이카) أولئك	

(2) 인칭 대명사

나는   (아나) أنا   우리는 (나흐누) نحن

당신은(남)(안타) أنت   당신들은(남)(안툼) أنتم

당신은(여)(안티) أَنْتِ   당신들은(여)(안툰나) أَنْتُنَّ

그는(그것은) (후와) هُوَ   그들은(남)(훔) هم

그녀는(그것은) (히야) هي   그들은(여) (훈나) هن

(3) 인칭 대명사 접미어=접미 인칭 대명사

나의 (이) ي   나를 (니) نى

당신의(을)   남 (카) كَ   여 (키) كِ

그의(를) (후) ه   그녀의(를) (하) ها

우리들의(을)   (나) نا

당신들의(을)   남 (쿰) كم   여 (쿤나) كن

그들의(을)(훔) م   그녀들의(을)(훈나) هن

예)   연필   (깔람) قلم

       나의 연필   (깔라미) قلمى

       당신의 연필   (깔라무카) قلمك

       그의 연필   (깔라무후) قلمه

3. 명사

명사는 성에 따라 남성과 여성으로 나뉘는데, 일반적으로 ة (타마르 부타)가 붙은 것이 여성이며, 그 외는 남성이다. 단, 자연의 성은 그대로 따른다.

예)　　작가　　　　(카-팁)　كاتب

　　　여성 작가　　(카-티바)　كاتبة

　　　아버지　　　(아-ㅂ)　أب

　　　어머니　　　(움-므)　أم

명사에 관사 (알) ال이 붙으면 한정 상태가 되며, 한정 상태가 아닐 경우에는 항상 비한정 상태가 된다. 한정 상태가 되는 것은 ① 관사 ال이 붙을 경우, ② 고유 명사, ③ 연결형의 제 1요소가 될 경우이다.

예)　한정 상태… 　그 학생　(앗-딸-립)　الطالب

　　비한정 상태…(한) 학생　(딸-립)　طالب

명사의 수는 단수·쌍수·복수로 나뉘며, 복수는 규칙 복수와 불규칙 복수가 있는데, 규칙 복수는 남성과 여성으로 구분되어진다.

예)　단수　　　　집　　　(바이트)　بيت

쌍수 (주격)　　두 집 (바이타-니) **بيتان**

(소유격, 목적격) 두 집의(을)

(바이타-이니) **بيتاين**

복수(불규칙 복수) 집들 (부유-트) **بيوت**

4. 동사

아랍어 동사는 대체로 3개의 어근으로 이루어지며, 완료형과 미완료형이 있다. 또한 인칭에 따라 변화한다. 다음에 **ذهب** (다하바) '가다' 동사의 변화를 나타낸다.

	완료형 (갔다)	미완료형 (간다)
나는	(다합투) **ذهبت**	(아드합) **أذهب**
당신은(남)	(다합타) **ذهبت**	(타드합) **تذهب**
당신은(여)	(다합티) **ذهبت**	(타드하비-ㄴ) **تذهبين**
그는	(다하바) **ذهب**	(야드합) **يذهب**
그녀는	(다하바트) **ذهبت**	(타드합) **تذهب**
우리는	(다합나) **ذهبنا**	(나드합) **نذهب**
당신들은(남)	(다합툼) **ذهبتم**	(타드하부-나) **تذهبون**

당신들은(여) (다합툰나)**تذهبن** (타드합나)**ذهبتن**
그들은　　　(다하부-) **يذهبون** (야드하부-ㄴ)**ذهبوا**
그녀들은　　(다합나)**يذهبن** (야드합나)**ذهبن**

※ 의문사에는 (할)**هل** 과 (아) **أ** 가 있다.

5. 형용사

형용사는 명사 바로 뒤에서 명사를 수식하며, 명사와 성·수·격·한정 상태가 일치해야 한다.

예) 새 책　　　　(키타-ㅂ 자디드)**كتاب جديد**
　그 새책　(알키타-불-자디-드)**الكتاب الجديد**
　새 시계　　(싸-아 자디-다)**ساعة جديد**
　그 새 시계 (앗싸-앗 자디-다)**الساعة الجديد**

6. 전치사

전치사는 뒤에 오는 단어에 붙어 쓰이는 접두 전치사와 뒤에 오는 단어와 관계없이 쓰이는 독립 전치사가 있다.

(1) 접두 전치사

ب   '~에, ~로' 〈비〉

예)   أذهب بالقطار   (아드합 빌 끼똬-르)
나는 기차로 갑니다.

ل   '~에게, ~을 위해' 〈리〉

예)   لي سيارة   (리-싸이야라)
내게 자동차가 있습니다.

(2) 독립 전치사

الى   '~로 ~에게, ~쪽으로' 〈일타〉

예)   أذهب الى الجامعة   (아드합 일랄 좌-미아)
나는 대학에 갑니다.

على   '~위에' 〈알타〉

예)   جلس على الكرسى   (잘라싸 알탈 쿠르씨-)
그는 의자에 앉았다.

من   '~로' 〈민〉

فى   (피)   ~에, ~에서

عند   (에인드)   …에(시간·장소·소유)

تحت   (타흐타)   …아래에

قبل   (까블라)   …전에

بعد   (바으다)   …후에

خلال (킬랄-라) …동안에

مع (마아) …함께

حتى (핫타) …까지

و (와) …와. 그리고

أو (아우) 또는

أثناء (아스나-아) ~동안

※ 참고

지금까지 편의상 아랍어의 품사를 여러가지로 나누어 설명하였으나 원칙상의 아랍어의 품사는 명사, 동사, 불변사로 분리됨을 밝혀둔다.

제 3 장

누구나 쉽게 배울 수 있는
기초 아랍어 회화

1. 인사(1)

A: 안녕하십니까?
B: 안녕하십니까?
A: 어떻게 지내십니까?
B: 잘 지냅니다. (알라) 덕분에.
   당신은 어떠십니까?
A: 잘 지냅니다. 감사합니다.

주

- 안전, 평화 : سلام
- 평화가 그대에게 : السلام عليكم
- 어떻게 : كيف
- 상태 : حال

التحيات (١)
앗타히야트

A: السلام عليكم
앗쌀라-무 알라이쿰

B: وعليكم السلام
와알라이쿠뭇 쌀라- ㅁ

A: كيف حلك ؟
캐이파 할-락

B: أنا بخير والحمد لله
아나 비 카이르 왈 함두 릴라

وأنت ؟
와 안타

A: أنا بخير شكرا
아나 비 카이르 슈그란

2. 인사(2)

A: 안녕하세요. (아침 인사)
B: 안녕하세요. 건강은 어떠신가요?
A: 좋습니다. 당신은 어떠세요?
B: 건강합니다. (알라) 덕분에.
A: 안녕히 가세요.
B: 안녕!(다시 만날 때까지)

주

- 아침 : صباح
- 좋은 : خير
- 빛 : نور
- 기쁜, 건강한 : مبسوط
- 만남 : لقاء

التحيات (٢)
앗타히야트

A: صباح الخير
쌰바-할 카이르

B: صباح النور   كيف صحتك ؟
쌰바-한 누르   캐이파 쉬하투카

A: طيبة   وكيف حلك ؟
똬이바   와 캐이파 할-락

B: أنا مبسوط   والحمد لله
아나 맙수-뜨   왈 함두 릴라

A: مع السلامة
마앗 쌀라-마

B: الى اللقاء
일랄 리까-

3. 인사(3)

A: 안녕하세요. (오후 인사)
B: 안녕하세요
A: 이것은 무엇입니까? 그리고 저것은 무엇이죠?
B: 이것은 책입니다. 그리고 저것은 제 시계입니다.
A: 내일 만납시다.
B: 잘 가세요.(안녕히 주무세요)

주

- 석양, 저녁 : مساء
- 만나다 : التقى
- 아침에…하다, …이 되다 : أصبح

التحيات (٣)
앗타히야트

A: مساء الخير
마싸-알 카이르

B: مساء النور
마싸-안 누르

A: ما هذا ؟
마 하다

وما ذلك ؟
와 마 달리카

B: هذا هو كتابى
하-다 후와 키타-비

وذلك هى ساعتى
와 달-리카 히야 싸-아티

A: نلتقى غدا
나날타끼- 가단

B: تصبح على خير
투스비흐 알라카이르

4. 소개(1)

A: 당신의 이름은 무엇입니까?
B: 제 이름은 김 인수입니다.
A: 나이가 몇 입니까?
B: 27세입니다.
A: 어디에서 오셨습니까?
B: 한국에서 왔습니다.

주

- 이름 : اسم
- 고귀한, 관대한, 친절한 : كريم
- 연령, 나이 : عمر
- 어디? : أين

التعريف (١)
앗타으리프

A: ما اسمك الكريم ؟
마 이쓰무칼 카리-ㅁ

B: اسمى كيم انسو
이쓰미   김 인수

A: كم عمرك ؟
캄 우무루카

B: عمرى سبعة وعشرون سنة
우무리 싸브아 와 에슈루-ㄴ 싸나

A: من أين أنت ؟
민 아이나 안타

B: أنا من كوريا
아나 민 쿠리야

5. 소개(2)

A: 당신에게 무함다드씨를 소개합니다.
B: 만나게 되어 기쁩니다.
A: 이 분은 제 친구 미스터 김입니다.
　　서울에서 온 한국인이죠.
C: 처음 뵙겠습니다.
B: 알게 되어 영광입니다.

주

- (~에게) 제공하다 (~에게) 소개하다 : قدّم (ل)
- 기쁜, 기뻐하는 : مسرور
- 친구, 벗 : صديق
- 만나다, 회견하다 : قابل
- 영광으로 느끼다 : تشرّف
- 지식, 앎 : معرفة

التعريف (٢)
앗타으리프

A: سأقدم لكم السيد محمد
싸 우깓디무 라쿰 앗 싸이드 무함맏

B: أنا مسرور بلقائك
아나 마쓰루-르 비리까-이카

A: هذا صديقى السيد كيم ،
하-다 쏴디-끼 앗싸이드 킴

هو كورى من سيول
후와 쿠리 민 시-울

C: أقابلك لاول مرّة
우까-빌루카 리아우왈 마르라

B: تشرّفت بمعرفتكم
타샤르라프투 비 마으리파티쿰

6. 소개(3)

A: 아랍어를 말할 수 있습니까?
B: 예, 조금 합니다.
C: 아니오. 모릅니다.
B: 천천히 말씀해 주세요.
A: 이해하시겠습니까?
B: 아니오. 이해하지 못하겠는데요.

주

- ~할 수 있다. ~할 능력이 있다 : استطاع
- 말하다 : تكلم
- ~을 알다 : عرف
- 느리게, 완만하게 : ببطء
- 이해하다. 깨닫다. 인식하다 : فهم

التعريف (٣)
앗타으리프

A: هل تستطيع ان تتكلم العربية ؟
할 타스타띠-으 안 타타칼라물 아라비야

B: نعم ، أستطيع ان أتكلم قليلا
나암 아스타띠-으 안 아타칼람 깔릴-란

C: لا، لا أعرف
라, 라 아으리프

B: تكلم ببطء من فضلك
타칼람 비부뜨 민 파들락

A: هل تفهم ؟
할 타프함

B: لا، لا أفهم
라 라 아프함

7. 감사와 사과(1)

A: 커피 드세요.
B: 감사합니다. 생일 축하드립니다.
A: 정말 고맙습니다.
B: 다음 달 제 생일 파티에 당신을 초대하고 싶은데요.
A: 초대해 주셔서 감사합니다.

주

- 커피 : قهوة
- 축복받은, 축하합니다./ : مبروك
- 축일 : عيد
- 탄생일. 탄생 : ميلاد
- 원하다. 바라다 : أراد
- 부르다. 초대하다 : دعا
- 모임. 파티 : حفلة

شكر و اعتذار (١)
슈크르 와 이으티다르

A: تفضل القهوة
타팟ھﻞ 알 까흐와

B: شكرا ، مبروك عيد الميلاد
슈크란 마브루-ㄱ 에이둘 밀라-드

A: شكرا جزيلا
슈크란 좌질-란

B: أريد أن أدعوك الى حفلة عيد
우리드 안 아드우-카 일라 하플라 에이드

ميلادى فى الشهر القادم
밀라-디 핏 샤흐릴 까-딤

A: شكرا لدعوتك
슈크란 리 다으와탁

8. 감사와 사과(2)

A: 죄송합니다. 제가 너무 늦었군요.
B: 괜찮습니다. 무슨 일이 생겼나요?
A: 별 일 없었습니다.
　　실례지만, 담배 좀 필 수 있을까요?
B: 괜찮습니다만, 흡연은 건강에 해롭습니다.

주

- 뒤떨어진, 늦은 : متأخر
- 일, 사물 : شيء
- 허락하다 : سمح
- 흡연 : تدخين
- 유해한, 불건전한 : ضار

شكر و اعتذار (٢)
슈크르 와 이으타다르

A: أنا آسف، أنا متأخر جدا
아나 아-씹 아나 무타알키르 쩟단

B: لا بأس، ماذا بك ؟
라 바으쓰 마다 비카

A: لا شيء
라 샤이(으)

عن اذنك، هل سمحت لي بالتدخين ؟
안 이드 낙 할 싸마흐타 리 빗 타드키-ㄴ

B: لا مانع،
라 마-니으

لكن التدخين ضارّ بالصحة
라킨 앗타드키-ㄴ 돠-르 빗 쒯하

9. 공항에서(1)

A: 여권 가지고 있습니까?
B: 예, 여기 내 여권입니다.
　　그리고 이것은 내 비자입니다.
A: 가방 좀 열어 주시겠습니까?
　　이것은 관세를 내셔야 합니다.
B: 얼마를 내야 합니까?

주

- 여권 : جواز السفر
- 비자 : تأشيرة
- 열다 : فتح
- 밀다. 지불하다 : دفع
- 세관. 관세 : جمرك

في المطار (١)
필 마따르

A: هل عندك جواز سفر ؟
할 에인다카 좌와즈 싸파르

B: نعم هذا جواز سفرى
나암 하-다 좌와즈 싸파리

وهذه تأشيرتى
와 하-디히 타으쉬-라티

A: من فضلك افتح هذه الحقيبة
민 파들락 아프타흐 하-디힐 하끼-바

يجب أن تدفع جمرك عن هذا
야쥡 안 타드파으 주므룩 안 하-다

B: كم أدفع عن هذا ؟
캄 아드파으 안 하-다

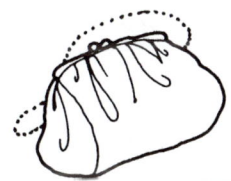

10. 공항에서(2)

A: 짐꾼 아저씨!
   이 가방들을 택시까지 가져다 주세요.
B. 알겠습니다.
A: '힐튼' 호텔까지 갑시다.
   여기서 호텔까지는 시간이 얼마나 걸립니까?
C: 약 40분 정도 걸립니다.
   힐튼 호텔까지는 처음 가시는 길입니까?
A: 예. 이번이 처음입니다.

주

- 취하다. 갖다 : أخذ
- 가방 : حقيبة
- 호텔 : فندق
- 시간이 걸리다 : استغرق
- 자다 : ذهب

في المطار (٢)
필 마따르

A: يا شيال !
야 샤이야-르

خذ هذه الحقائب الى التاكسى
쿠드 하-디힐 하까-입 일랏 타-ㄱ씨

B: نعم ، يا سيدى
나암 야 싸이디

A: هيا بنا الى فندق "هيلتون"
하야 비나 일라 푼두끄 '힐툰'

كم يستغرق من هنا الى الفندق ؟
캄 야쓰타그리끄 민 후나 일랄 푼두끄

C: حوالى أربعون دقيقة
하와-ㄹ라 아르바운-다끼-까

هل تذهب أول مرّة لفندق "هيلتون"؟
할 타드합 아우왈 마르라 리 푼두끄 '힐투-ㄴ'

A: نعم ، هذه أول مرّة
나암 하-디히 아우왈 마르라

11. 공항에서(3)

A: 어서 오십시오. 무함마드씨.
B: 감사합니다.
A: 긴 여행 때문에 피곤하시겠습니다.
B: 예. 몸이 굉장히 피곤합니다.
A: 이분은 사장님입니다.
C: 한국에 오신 것을 환영합니다.
B: 감사합니다. 정말 감사합니다.

주

- 생각하다. 추측하다 : ظنّ
- 피곤. 근심. 공산 : متعب
- ~때문에 : بسبب
- 여행 : سفر
- 신체, 몸 : جسم
- 대통령, 장, 우두머리 : رئيس

في المطار (٣)
필 마따르

A: أهلا وسهلا ! يا سيد محمد
아흘란 와 싸흘란 야 싸이드 무함맛

B: أهلا بكم !
아흘란 비쿰

A: أظن أنك متعب بسبب السفر الطويل
아준누 안나카 무트압 비싸바빗 싸파릿 똬윌-ㄹ

B: نعم ، جسمى متعب جدا
나암 쥐쓰미 무트압 젯단

A: هذا رئيس الشركة
하-다 라이- 쑷샤리카

C: أهلا و سهلا بكم فى كوريا
아흘란 와 싸흘란 비쿰 피 쿠리야

B: شكرا ألف شكر
슈크란 알프 슈크르

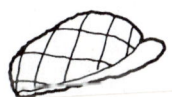

12. 거리에서(1)

A: 실례합니다.
   조선 호텔까지 어떻게 가야합니까?
B: 조선호텔은 여기서 아주 멉니다.
   버스나 택시를 타셔야 합니다.
A: 버스로는 시간이 얼마나 걸립니까?
B: 30분 정도 걸립니다.
A: 대단히 감사합니다.
B: 천만에요.

주

- 먼 : بعيد
- 아주, 매우 : جدا
- 여기 : هنا
- 타다. 여행하다 : ركب
- 시간, 시계 : ساعة
- 가능한, 할 수 있는 : ممكن

في الشارع (١)
핏 샤리으

A: اسمحوا لي ،
이쓰마후 리

كيف أذهب الى فندق جوسون ؟
캐이파 아드합 일라 푼두끄 조선(주수-ㄴ)

B: انه بعيد جدا عن هنا
인나후 바이-드 젯단 안 후나

لا بد من أن تركب الاوتوبيس أو تاكسى
라 붓드 민 안 타르카발 우-투-비-스 아우 탁씨

A: كم ساعة تستغرق باوتوبيس ؟
캄 싸-아 타쓰타그리끄 비우-투-비-스

B: حوالى نصف الساعة
하왈-라 나수풋 싸-아

A: شكرا جزيلا
슈크란 좌지-ㄹ란

B: عفوا
아프완

13. 거리에서(2)

A: 실례지만 덕수궁 가는 길을 가르쳐 주실 수 있겠습니까?
B: 예. 물론입니다.
먼저 이 길을 따라 가십시오.
그 다음에. 거리 끝에서 오른쪽으로 돌면 궁의 입구를 발견하실 겁니다.
A: 잘 알겠습니다. (매우 분명하군요.)
대단히 감사합니다.
B: 별 말씀을.

주

- ~을 알리다. 전하다 : أخبر
- 길, 도로 : طريق
- 거리 : شارع
- 발견하다 : وجد
- 명백한, 분명한 : واضح

في الشارع (٢)
핏 샤리으

A: لو سمحت، هل من الممكن تخبرني
나우 싸마흐트 할 민날 뭄킨

B: عن الطريق لقصر دكسو؟
투크비르니 안닛 똬리-끄 리 까스르 덕수

نعم، طبعا انهب من هذا الطريق
나암 땁안 이드합 민 하-닷 똬리-끄

بعد ذلك، استدر الى اليمين فى
바으다 다-릨 이쓰타디르 일랄 야미-ㄴ

A: آخر الشارع، حيث تجد مدخل القصر
피 아-카 릿 샤-리으 하이스 타쥐드 마드칼랄 까스르

هذا واضح جدا، شكرا جزيلا
하-다 와-뒤흐 쥣단 슈크란 좌질-란

B: لاشكر على واجب
라 슈크르 알라 와-집

14. 거리에서(3)

A: 서울역에 가려면 어떻게 해야 하는지 말씀해 주시겠습니까?
B: 여기에서 15번 버스를 타세요.
그리고는 7번째 정류장에서 내리십시오.
A: 대단히 감사합니다.
B: 천만에요.

주

- 말하다 : قال
- 숫자, 번호 : رقم
- 내리다, 머물다 : نزل
- ~뒤에, ~후에 : بعد

في الشارع (٣)
핏 샤리으

A: هل يمكن أن تقول لي، كيف
할 윰킨 안 타꾸-ㄹ 리

أذهب الى محطة سيول ؟
캐이파 아드합 일라 마핫똬 서울(씨우--ㄹ)

B: خذ أتوبيس رقم خمسة عشرة
쿠드 우투-비-스 라끔 캄싸타

من هذه المحطة
아샤르 민 후나

ثم انزل بعد سبع محطات
숨마 인질 바으다 싸브으 마핫똬-트

A: أنا متشكر جدا
아나 무타샤키르 줫단

B: ألعفو
알아푸-

15. 거리에서(4)

A: 이 길이 서울역으로 가는 길인가요?
B: 예. 하지만 당신은 이 길을 지나갈 수 없습니다.
A: 왜 안돼죠?
B: 이 길은 일방 통행로입니다.
　미안하지만 오른쪽길로 돌아가 주세요.

주

- 정류장, 역 : محطة
- 지나가다. 통과하다 : مرّ
- 방향 : اتّجاه
- 돌다. 회전하다 : استدار
- 오른쪽 : يمين
- 왼쪽 : يسار

في الشارع (٤)
핏 샤리으

A: هل هذا هو الطريق الى محطة سيول ؟
할 하-다 후왓 똬리- ㄲ 일라 마핫똬 시울-

B: نعم، لكن لا يمكنك أن تمرّ هذا الطريق
나암 라-칸 라 윰키누카 안 타스타미르 하-닷 똬리-ㄲ

A: لماذا لا ؟
리마-다 라

B: هذا الطريق هو طريق اتجاه واحد
하-닷 똬리-ㄲ 후와 똬리-ㄲ 읻티좌-흐 와-히드

استدر الى الطريق اليمين من فضلك
이쓰타디르 일랏 똬리-낄 야미-ㄴ 민 파들락

16. 거리에서 (5)

A: 택시. 김포공항까지 갑시다.
B: 죄송합니다. 제 차가 고장났어요.
A: 고장이라구요?
B: 예. 아마도 엔진에 결함이 있는 것 같아요.
A: 참 안 됐군요….

주

- 미안하다. 유감이다 : تأسف
- 자동차 : سيارة
- 정지된. 고장난 : معطل
- 아마도 : ربما
- 엔진 : محرك
- 미비, 결점, 결함 : عيب

في الشارع (٥)
핏 샤리으

A: تاكسي! خذني الى مطار كيم فو
탁씨 쿠드니 일라 마똬-르 김포(킴푸-)

B: متأسف، سيارتي معطّلة
무타아씹 싸이야라티 무앗딸라

A: معطّلة ؟
무앗딸라

B: نعم، ربما المحرّك فيه عيب
나암 룹바마 알 무하르리크 피-히 아입

A: يا خسارة ...
야 카싸-라

17. 거리에서(6)

A: 안녕하십니까?
   이것 당신 차입니까?
B: 예. 제 차입니다.
A: 여길 보세요. 무엇이 씌여 있죠?
B: 아! '주차 금지'
A: 아시겠죠? 그럼 여길 떠나세요

주

- ~을 보다. 바라보다 : نظر
- 씌여진 : مكتوب
- 금지된. 금지 : ممنوع
- 멈추다. 서다 : وقف

في الشارع (٦)
핏 샤리으

A: مساء الخير
마싸알 카이르

هل هذه سيارتك ؟
할 하-디히 싸이야라탁

B: نعم ، هذه سيارتى
나암, 하-디히 싸이야라티

A: انظر هذه ماذا مكتوب ؟
운쥬르 하-디히 마-다 마크투-ㅂ

B: آه ! "ممنوع الوقوف"
아~ '맘 누-올 우꾸-프'

A: هل أنت مفهوم ؟
할 안타 마프후-ㅁ

اترك من هنا اذا
우트룩 민 후나 이단

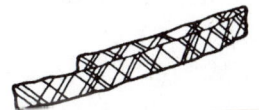

18. 거리에서(7)

A: (당신의) 자동차가 멋있고 편안한데요.
B: 그렇지만 새차는 아닙니다.
A: 왜 천천히 가는거죠?
B: '멈춤' 표지판에 가까이 왔거든요.
A: 이제 표지판을 지났습니다.
   우리가 원하는 대로 속도를 낼 수 있겠군요.

주

- 좋은, 아름다운 : جميل.
- 안락한, 편안한 : مريح
- 새로운, 신식의 : جديد
- 나아가다, 움직이다 : سار
- 이정표, 안내판 : علامة
- 지나치다 : تجاور

في الشارع (٧)
핏 샤리으

A: سيارتك جميلة ومريحة
싸이야라톡 좌밀-라 와 무리-하

B: انها ليست جديدة رغم ذلك
인나하 라이싸트 좌디-다 라금 다릭

A: لماذا تسير ببطء شديد ؟
리마-다 타씨-르 비부뜨 샤디-드

B: لأننى قريب من علامة "قف"
리안나니 까리-ㅂ 민 알라-마 '끼프'

A: الان، تجاوزنا العلامة
알아-ㄴ 타좌-와즈날 알라-마

نستطيع أن نسرع كما نريد
나쓰타띠-으 안 나쓰리으 카마 누리-드

19. 호텔에서(1)

A: 지난 주에 방을 예약했는데요
B: 성함이 어떻게 되시죠?
A: 제 이름은 마흐무드입니다.
B: 예, 당신이 예약하신 방이 있습니다.
2주간이군요. 맞습니까?
A: 예. 맞습니다.
B: 방은 7층입니다.

주

- 주 : اسبوع
- 지난, 이전의 : ماض
- ~을 가진 : عند
- 기간, 기한 : مدّة
- 바른, 사실인 : صحيح

في الفندق (١)
필 푼두끄

A: أنا حجزت غرفة في الاسبوع الماضي
아나 하좌즈투 구르파 필 우쓰부-일 마-뒤

B: ما اسمك الكريم ؟
마 쓰무 칼 카리-ㅁ

A: اسمي محمود
이쓰미 무함맛

B: نعم ، عندنا غرفة محجوزة لك
나암 에인다나 구르파 마흐주-자 락

لمدّة اسبوعين هذا صحيح ؟
리뭇다 우스부-아인 하-다 쏴히-흐

A: نعم ، صحيح
나암 쏴히-흐

B: غرفتك في الطابق السابع
구르파투카 핏 똬-비끗 싸-비으

20. 호텔에서(2)

A: 빈 방 있습니까?
B: 예, 어떤 방을 원하시는데요?
A: 욕실 있는 방을 원합니다.
B: 7층에 특실이 비어 있습니다.
A: 하루에 얼마입니까?
B: 2만원입니다.

주

- 방 : غرفة
- 어느? 어떤? : أى
- 목욕탕. 욕실 : حمام
- 층 : طابق
- 텅빈, 공허한 : خال

في الفندق (٢)
필 푼두끄

A: هل توجد غرفة ؟
할 투-좌드 구르파

B: نعم، أى غرفة تريد يا سيدى ؟
나암 아이-구르파 투리-드 야 싸이디

A: أريد غرفة بحمّام
우리-드 구르파 비 함마-ㅁ

B: غرفة خاصة فى الطابق السابع خالية
구르파 캇-솨 핏 똬-비끄 싸-비으 칼-리야

A: كم ثمنها فى اليوم ؟
캄 사만누하 필 야움

B: باثنين ألفون
비 이스닌 알프 원

21. 호텔에서(3)

A: 방을 볼 수 있을까요?
B: 예. 이리로 오십시오
　　방이 마음에 드십니까?
A: 이 방은 너무 작은데요.
　　더 큰 방은 없습니까?
B: 죄송합니다. 방들이 모두 예약이 되어
　　있습니다.

주

- 보다 : رأى
- 기쁘게 하다(마음에 들다) : أعجب
- 작은 : صغير
- 더 큰 : أكبر
- 예약된 : محجوز

في الفندق (٣)
필 푼두끄

A: هل يمكننى رؤية الغرفة ؟
할 윰키누니 루으야탈 구르파

B: نعم، تفضل من هنا
나암 타팟될 민 후나

هل تعجبك الغرفة ؟
할 투으쥐부칼 구르파

A: ان هذه الغرفة صغيرة
인나 하-디힐 구르파 쏴기-라

ألا توجد غرفة أكبر من هذه ؟
아-르라 투-좌드 구르파 아크바르 민 하-디히

B: آسف كلّ الغرفة محجوزة
아-씹 쿨룰 구르파 마흐주-자

22. 호텔에서(4)

A: 이 방이 마음에 드는데요.
여기를 쓰겠습니다.
B: 며칠간 머무르시겠습니까?
A: 일주일간 지낼 겁니다.
계산은 언제하죠?
B: 선불로 치루셔야 합니다.
이 숙박부를 기록해 주십시오.

주

- 일, 날 : يوم
- 머물다. 체재하다 : مكث
- 체재하다. 머무르다 : أقام
- 계산 : حساب
- 채우다. 메우다 : ملأ

في الفندق (٤)
필 푼두11

A: هذه الغرفة تعجبنى
하-디히 구르파 투으쥐브니

سآخذ هذه
싸아-쿠드 하-디히

B: كم يوما ستمكث ؟
캄 야우만 싸탐쿠스

A: سأقيم اسبوعا
싸우끼-무 우쓰부-안

متى أدفع الحساب
마타 아드파울 히싸-ㅂ

B: عليك أن تدفع مقدّما
알라이카 안 타드파으 무깟디만

من فضلك املأ هذه الاستمارة
민 파들락 이믈라-하-디힐 이쓰티마-라

23. 호텔에서(5)

A: 식당이 어디에 있습니까?
B: 2층에 있습니다. 그리고 다른 식당은 13층에 있구요.
A: 호텔에 이발소는 있나요?
B: 예 지하층에 있습니다.
그리고 그곳에 세탁소도 있습니다.

주

- 식당 : مطعم
- 이발소 : حلاق
- 땅, 지면 : أرض
- 상점, 가게 : محل
- 빨래, 세탁 : غسيل

في الفندق (٥)
필 푼두끄

A: أين يوجد المطعم ؟
아이나 유-좌둘 마뜨암

B: انها فى الطابق الثانى
인나하 핏 똬비낏 사-니

وهناك مطعم آخر فى الطابق الثالث عشرة
와 후나카 마뜨암 아-카르 핏 똬비낏 살-리스 아샤르

A: هل يوجد حلاق فى الفندق ؟
할 유-좌드 할라-끄 필 푼두끄

B: نعم، فى الطابق تحت الارض
나암 핏 똬-비끄 타흐탈 아르드

و فيها محلّ الغسيل
와 피-하 마할룰 가씨-ㄹ

24. 호텔에서(6)

A: 내일 아침 일찍 떠날 겁니다.
   계산서를 갖다 주세요.
B: 여기 있습니다.
A: 모든 것이 계산된 겁니까?
B: 예. 다됐습니다.
A: 내일 아침 8시에 택시를 불러주세요.

주

- 떠나다 : رحل
- 제공하다. 주다 : أعطى
- 완료. 완전 : تمام
- ~을 구하다. 요구하다 : طلب

في الفندق (٦)
필 푼두끄

A: سأرحل مبكرا صباح الغد
싸아르할 무박키란 쏴바-할 가드

أعطنى فاتورة الحساب من فضلك
아으띠니 파-투라탈 하싸-ㅂ 민 파들락

B: ها هى
하-히야

A: هل كل شىء محسوب ؟
할 쿨루 샤이-마흐수-ㅂ

B: نعم، كل تمام
나암 쿨루 타마-ㅁ

A: أطلب لى تاكسي فى الساعة الثامنة
우뜰룹리 탁씨 핏 싸-아팃 사-미나

غدا صباحا
가단 쏴바-한

25. 교통(1)

A: 김 선생님 어디 가십니까?
B: 잠실 경기장에 갑니다.
A: 무엇을 타고 가실 겁니까?
B: 지하철을 타고 갑니다.
A: 표는 사셨습니까?
B: 아직 사지 않았습니다.

주

- 운동장, 경기장 : ملعب
- 지하철 : مترو
- ~을 사다. 구입하다 : اشترى
- 표. 티켓(복수) : تذكرة (تذاكر)

الموصلات (١)
우와쌀라트

A: أين أنت ذاهب؟ يا سيد كيم
아이나 안타 다-힙 야 싸이드 킴

B: أذهب الى ملعب جميل
아드합 일라 말압 잠실

A: كيف تذهب الى هناك؟
캐이파 타드합 일라 후나-카

B: سأركب المترو
싸아르 캅 알 미트루

A: هل تشترى التذاكر؟
할 타슈타리-앗타다-키르

B: لا، لم أشتر بعد
라 람 아슈타르 바으드

26. 교통(2)

A: 부산행 기차가 몇 시에 떠납니까?
B: 급행 열차는 5시에 있고,
   보통 열차는 3시 30분에 있습니다.
A: 좌석 하나 예약할 수 있을까요?
B: 기꺼이 해드리지요.
A: 5시 급행열차의 2등석을 주십시오.
B: 여기 있습니다.

주

- 시간 : وقت
- 떠나다, 출발하다 : غادر
- 열차, 기차 : قطار
- 빠른, 신속한 : سريع
- 보통의, 일반적인 : عادى
- 좌석 : مقعد

المواصلات (٢)
우와쌀라트

A: فى أى وقت يغادر القطار الى بوسان ؟
피 아이-와끄트 유가-디를 끼똬-르 일라 부산

B: قطار سريع فى الساعة الخامسة
끼똬-르 싸리-으 핏 싸-아틸 카-미싸

وقطار عادى فى الساعة الثالثة والنصف
와 끼똬-르 아-디 핏 싸-아팃 살-리사 완 니스프

A: أيمكننى أن أحجز مقعدة ؟
아 윰킨누니 안 아흐주자 마끄아다

B: بكل سرور
비쿨 쑤루-르

A: أريد تذكرة درجة ثانية لقطار سريع
우리-드 타드키라 다라좌 사-니야 리끼똬-르 싸리-으

فى الساعة الخامسة
핏 싸-아틸 카-미싸

B: اليك بها
일라이카 비하

27. 교통(3)

A: 좋은 호텔이 어디에 있습니까?
B: 조선호텔이 좋다고 들었습니다.
A: 그렇다면 조선호텔 앞에 세워주세요.
B: 다왔습니다, 선생님.
A: 얼마입니까?
B: 2,700원입니다.

주

- 발견하다. 찾아내다 : وجد
- 듣다 : سمع
- 도착하다. 이르다 : وصل
- 요금, 임대료 : أجرة

الموصلات (٣)
우와쌀라트

A: أين يمكننى أن أجد أفضل فندق ؟
아이나 윰키누니 안 아쥐다 아프달 푼두끄

B: سمعت أن فندق جوشون هو الأفضل
싸미으투 안나 푼두끄 '조선' 후왈 아프달

A: اذا قف أمام فندق جوسون من فضلك
이단 끼프 아마마 푼두끄 조선 민 파들락

B: ها قد وصلنا يا سيدى
하 까드 와쌀라 야 싸이디

A: كم الاجرة ؟
카밀 우즈라

B: ذلك ٢٧٠٠ ون (ألفان وسبع مئة)
다-라카(알파니 와 싸브으 미아) 원

28. 쇼핑(1)

A: 이 바지 가격은 얼마입니까?
B: 2만 3천원입니다, 선생님.
A: 그건 너무 비싼데요.
   좀 더 싸게 살 수 없을까요?
B: 저희는 정찰제입니다.
A: 그렇다면, 미안하지만 다른 것을 보여 주십시오.

주

- 비싼, 고가의 : غال
- 만들다. …되게 하다 : جعل
- 더 싼 : أرخص
- 가격 : سعر
- 규정된, 정해진 : محدد

التسوق (١)
타쓰위끄

A: بكم هذا بنطلون ؟
비캄 하-다 반딸루-ㄴ

B: ثلاثة وعشرين ألف ون يا سيدى
살라-사 와 에슈리-ㄴ 알프 원 야 싸이디

A: انه غالى جدا
인나후 갈-리 쥇단

ألا يمكنك أن تجعله أرخص قليلا ؟
아라-윰키누카 안 타즈알라후 아르카스 깔릴-란

B: لدينا أسعار محددة
라다이나 아스아-르 무핟다다

A: اذا ، أرنى شيئا آخر من فضلك
이단 아리니 샤이안 아-카르 민 파들락

29. 쇼핑(2)

A: 안녕하세요. 무엇을 도와드릴까요?
B: 양복을 한 벌 사려 합니다.
A: 사이즈는 알고 계십니까?
B: 잘 모르는데 좀 재주실 수 있겠습니까?
A: 예, 기꺼이 해드리죠.

주

- 봉사, 써비스 : خدمة
- 옷 한벌, 양복 : بدلة
- 싸이즈. 치수 : مقاس
- 전부. 모든 : كل
- 기쁨, 즐거움 : سرور

التسوق (٢)
타쓰위끄

A: مساء الخير ، أى خدمة ؟
마사알 카이르 아이 키드마

B: أريد أن أشترى بدلة
우리-드 안 아슈타리 바들라

A: هل تعرف مقاسك ؟
할 타으리프 마까-싹

B: لا أعرف مقاسى جيدا
라 아으리프 마까-씨 좌이단

هل يمكن أن تأخذ مقاسى ؟
할 윰키누 안 타으쿠드 마까-씨

A: نعم ، بكل سرور
나암 비 쿨 쑤루-르

30. 쇼핑(3)

A: 셔츠 있습니까?
B: 물론이죠. 저희는 뭐든지 있습니다.
A: 셔츠 좀 보여주세요.
B: 어느 치수를 입으십니까?
A: 40을 입습니다.
B: 이것이 마음에 드십니까?
A: 좋습니다. 그것으로 하겠습니다.

주

- 셔츠(복수 قمصان) : قميص
- 보여주다 : أرى
- 좋은, 아름다운 : حسن

التسوق (٣)
타쓰위끄

A: هل عندك قمصان ؟
할 에인닥 꿈산-

B: بالطبع، عندنا مجموعات
빗 똬브으 에인다나 마즈무-아트

A: من فضلك، أرني قمصان
민 파들락 아리니 꿈솨-ㄴ

B: أى مقاس تريد يا سيدى ؟
아이 마까-스 투리-드 야 싸이디

A: أريد أربعون
우리-드 아르바우-ㄴ

B: هل يعجبك هذا ؟
할 유으쥐부카 하-다

A: حسنا، آخذه
하싸난 아-쿠두후

31. 쇼핑(4)

A: 무엇을 사시겠습니까?
B: 넥타이를 사고 싶은데요.
A: 이것 어떻겠습니까?
B: 색깔이 마음에 안듭니다.
A: 그렇다면 이 색깔이 어떻습니까?
B: 아름답군요. 가격은 얼마죠?

주

- 구입, 구매 : شراء
- 의견, 생각 : رأى
- 색깔, 색상 : لون
- 무엇 : ما
- 가격 : ثمن

التسوق (٤)
타쓰위끄

A: ماذا تريد أن تشترى ؟
마-다 투리-드 안 타슈타리

B: أريد شراء رباط عنق
우리-드 쉬라-으 리바-뜨 우누끄

A: ما رأيك فى هذا ؟
마 라으유카 피 하-다

B: لا يعجبنى لونه
라 유으쥐부니 라우누후

A: اذا، ما رأيك فى هذا اللون ؟
이단 마 라으유캬 피 하-달 라운

B: جميل كم ثمنه ؟
좌미-ㄹ 캄 사만누후

32. 식당에서(1)

A: 배가 정말 고픈데요. 우리 식당에 갑시다.
B: 그럼, 아랍음식을 먹어볼까요?
A: 좋은 생각입니다.
   하지만 어디로 가야 할까요?
B: 사내에 아랍식당이 있습니다.
   유명한 식당이지요.

🗹

- 배고픈 : جوعان
- (음식을) 먹다. 섭취하다 : تناول
- 생각, 의견 : فكرة
- 도시, 시내 : بدلة
- 유명한 : مشهور

في المطعم (١)
필 마뜨암

A: اني جوعان جدا ، فلنذهب الى مطعم
인니 좌우아-ㄴ 젓단 팔 나드합 일라 마뜨암

B: اذن ، هل نتناول الطعام العربى ؟
이단 할 나타나-왈루 앗 똬아-말 아라비

A: فكرة جيدة ،
피크라 좌이다

لكن أين نذهب ؟
라킨 아이나 나드합

B: يوجد مطعم عربى فى البلدة
유-좌드 마뜨암 아라비 필 발다

هو مطعم مشهور
후와 마뜨암 마슈후-르

33. 식당에서(2)

A: 웨이터! 조용한 자리 있습니까?
B: 네. 이쪽으로 오십시요.
A: 오늘 메뉴가 무엇입니까?
B: 여기 메뉴판이 있고, 이것은 오늘의 요리입니다.
A: 카밥과 생선튀김을 먹겠습니다.

주

- 장소, 자리 : مكان
- 조용한, 고요한 : هادئ
- 식단표, 메뉴 : قائمة
- 음식 : طعام
- 접시 : طبق

في المطعم (٢)
필 마뜨암

A: هل عندك مكان هادئ يا جرسون
할 에인다 쿰 마카-ㄴ 하-디 야 좌르쑤-ㄴ

B: نعم ، تفضل من هنا
나암 타팟딸 민 후나

A: ماذا عندكم اليوم ؟
마-다 에인다쿰 알야우마

B: هذه هى قائمة الطعام وهذا هو طبق اليوم
하-디히 히야 까-이마툿 똬아-ㅁ 와 하-다 후와 똬바꿀야움

A: أريد كباب و سمك مقلى
우리-드 카바-ㅂ 와 싸막 마끌리

34. 식당에서(3)

A: 음료수는 무엇을 드시겠습니까?
B: 오렌지 쥬스로 주십시오.
C: 저는 레몬쥬스로 주세요.
A: 후식은요? 과일과 아이스크림이 있습니다.
B: 과일로 주십시오.
C: 저도요.

주

- 사랑하다. 원하다 : أحب
- 마시다 : شرب
- 쥬스 : عصير
- 달콤한, 맛있는 : حلو
- 디저트 : الطبق الحلو

في المطعم (٣)
필 마뜨암

A: ماذا تحب أن تشرب ؟
마-다 투힙부 안 타슈랍

B: أريد عصير برتقال
우리-드 아쉬-르 부르투까-르

C: أريد عصير ليمون
우리-드 아쉬-르 라이무-ㄴ

A: والحلو؟ عندنا فاكهة وايسكريم
왈 홀와 에인다나 파-키하 와 아이스 크리-ㅁ

B: آخذ فاكهة
아~쿠드 파-키하

C: وأنا أيضا
와 아나 아이판

35. 식당에서(4)

A: 저녁 드셨습니까?
B: 아직 안 했습니다.
A: 함께 저녁식사를 하시죠
B: 좋습니다. 가십시다.
A: 이 테이블은 예약이 되어 있습니까?
C: 예, 예약이 되어 있습니다.

주

- 저녁식사 : عشاء
- 함께 : معا
- 식탁. 테이블 : طاولة

في المطعم (٤)
필 마뜨암

A: هل تناولت العشاء ؟
할 타나-왈탈 아샤

B: لم أتناول بعد
람 아타나-왈 바으드

A: هيا نتناول عشاء معا
하야-나타나-왈 야샤-미안

B: طيب ، هيا بنا
똬이입 하야 비나

A: هل هذه الطاولة محجوزة ؟
할 하-디힛 똬-울라 마흐주-자

C: نعم، هذه الطاولة محجوزة
나암 하-디힛 똬-울라 마흐주-자

36. 식당에서(5)

A: 웨이터! 계산서 주세요
B: 제가 지불하겠습니다.
A: 아뇨, 감사합니다만.
오늘은 제가 내겠습니다.
여하튼 이것은 봉사료가 계산된 것입니까?
C: 아닙니다. 10%를 지불하셔야 됩니다.

주

- 종업원, 웨이터 : جرسون
- 감사하다 : شكر
- 계산된 : محسوب
- 의무이다 : وجب

في المطعم (٥)
필 마뜨암

A: أعطني حساب من فضلك يا جرسون
아으띠니 히싸-ㅂ 민 파들락 야 좌르쑤-ㄴ

B: دعني أدفع
다으니 아드파으

A: لا ، أشكرك ، دعني أدفع اليوم
라 아슈쿠루카 다으니 아드파으 알 야우마

B: على كل حال ، هل هذا محسوب الخدمة ؟
알라 쿨 하-ㄹ 할 하-다 마흐쑤-ㅂ 알 키드마

C: لا ، يجب أن تدفع ثمنا عشر بالمائة
라. 아쥡 안 타드파아 사마난 아샤르 빌 미아

37. 다방에서(1)

A: 안녕하세요, 김선생님.
B: 안녕하십니까? 오래간만입니다.
A: 지금 바쁘십니까?
B: 아니오. 바쁘지 않습니다.
A: 그렇다면 우리 이야기좀 할 수 있을까요?
B: 좋습니다. 우리 다방에 갑시다.

주

- 더 많은 : أكثر
- 바쁜 : مشغول
- 다방 : مقهى

في المقهى (١)
필 까흐와

A: مرحبا يا السيد كيم
마르하반 야 싸이드 킴

B: مرحبا وأنت أكثر
마르하반 와 안타 아크사르

A: هل أنت مشغول الآن
할 안타 마슈구-르 알안

B: لا ، لست مشغول
라 라스투 마슈구-르

A: هل من الممكن أن نتحدث معا ؟
할 미날 뭄킨 안 나타핫다수 마안

B: طيب ، هيا بنا الى المقهى
똬이입 하야 비나 일랄 마끄하

38. 다방에서(2)

A: 무엇을 마시겠습니까?
　　커피, 아니면 차?
B: 밀크 커피로 하겠습니다.
A: 웨이터! 밀크 커피하고 홍차 한 잔 갖다 주세요.
B: 참 아름다운 다방인데요!
A: 예, 사람들이 붐비는군요.

주

- 차, 홍차 : شاي
- 우유 : حليب
- 찻잔, 컵 : فنجان
- 붐비는, 혼잡한 : مزدهم
- 사람들, 인간 : ناس

في المقهى (٢)
필 까흐와

A: ماذا تريد أن تشرب ؟
마-다 투리드 안 타슈랍

قهوة أو شاى ؟
까흐와 아우 샤-이

B: آخذ قهوة بالحليب
아-쿠드 까흐와 빌 할리-ㅂ

A: جرسون ، هات قهوة بالحليب
좌르수-ㄴ 하-티 까흐와 빌할리-ㅂ

وفنجان شاى !
와 핀좐-ㄴ 샤이

B: انه مقهى جميل !
인나후 마끄하 좌미-ㄹ

A: نعم ، والمكان مزدهم بالناس
나암, 왈 마카-ㄴ 무즈다힘 빈 나-스

39. 전화(1)

A: 전화 좀 쓸 수 있을까요?
B: 예. 물론이죠
A: 전화가 어디에 있습니까?
B: 테이블 위에 있어요.
A: 전화번호부는 있습니까?
B: 예, 여기 있어요.
A: 통화료는 얼마입니까?
B: 무료로 쓰세요.

주

- 사용하다 : استعمل
- 테이블, 책상 : منضدة
- 전화번호부, 안내서 : دليل
- 통화 : مكالمة
- 무료 : مجان

تليفون (١)
틸라푸-ㄴ

A: هل يمكن أن أستعمل تليفون ؟
할 윰키누 안 아쓰타으밀라 틸리-푸-ㄴ

B: نعم ، طبعا
나암 땁안

A: أين تليفون ؟
아이낫 틸리-푸-ㄴ

B: انه موجود على منضدة
인나후 마우주-드 알라 민돠다

A: هل عندك دليل التليفون ؟
할 에인다카 달리-르 앗틸리-푸-ㄴ

B: نعم ، ها هو
나암 하-후와

A: كم ثمن المكالمة ؟
캄 사만눌 무칼-라마

B: استعمل مجّانيا
이쓰티으밀 맞좌-니얀

40. 전화(2)

A: 여보세요. '샤뢰프'씨 계십니까?
B: 예. 제가 샤리프인데 누구십니까?
A: 김입니다. 어떻게 지내십니까?
   샤리프 씨.
B: 잘 지냅니다. 반갑습니다.
A: 오늘 오후에 시간 있습니까?
B: 대단히 미안합니다. 선약이 있는데요.

주

- 텅빈, 공허한, 한가한 : فاض
- 강한, 견고한, 엄한 : شديد
- 약속(시간) : موعد
- 이전의, 선행의 : سابق

تليفون (٢)
틸라푸-ㄴ

A: آلو ، السيد شريف موجود ؟
알~루~ 앗싸이드 샤리-프 마우주-드

B: نعم ، أنا شريف ، من يتكلم ؟
나암 아나 샤리-프 만 야타칼람

A: أنا كيم ، كيف حالك ؟
아나 킴 캐이파 할-락

B: الحمد لله ، أهلا يا سيد كيم
알 함두 릴라 아홀란 야 싸이드 킴

A: هل عندك وقت فاض مساء اليوم ؟
할 에인다카 와끄트 파-둬 마싸알 야움

B: أنا آسف شديدا ، عندى موعد سابق
아나 아~씹 샤디-단 에인디 마우이드 싸-비끄

41. 전화(3)

A: 김 선생님 계십니까?
B: 아니오. 지금 안 계십니다.
   실례지만 누구십니까?
A: 친구 '유스프'입니다.
B: 전하실 말씀 있습니까?
A: 아닙니다. 다시 전화하겠습니다.

주

- 존재하는, 있는 : موجود
- 말하다. 이야기하다 : تحدث
- 남겨놓다 : ترك
- 편지, 메세지 : رسالة
- 연락하다. 연결하다 : اتصل

تليفون (٣)
틸라푸-ㄴ

A: هل السيد كيم موجود ؟
할 릿 싸이드 킴 마우주-드

B: لا ، ليس موجودا الان
라 라이싸 마우주-단 알안

معذرة ، من المتحدث ؟
마으니라 만일 무타핫다스

A: أنا صديقه يوسف
아나, 쏴디-꾸후 유스프

B: هل تريد أن تترك رسالة ؟
할 투리-드 안 타트루카 리싸-ㄹ라

A: لا ، سأتّصل مرة أخرى
라, 싸 아탓실루 마르라 우크라

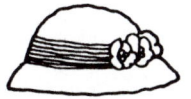

42. 전화(4)

A: 감사합니다. 한국상사입니다.
B: 김 인수 씨와 통화하고 싶은데요.
A: 잠깐만요. 여보세요. 죄송합니다만, 지금 안 계신데요.
B: 언제쯤 계시겠습니까?
A: 잘 모르겠는데요.
그 분에게 연락하라고 할까요?
B: 예. 여기는 326-4517이고, 이름은 샤리프입니다.

주

- 회사 : شركة
- 찰나, 순간 : لحظة
- 언제? : متى
- 알다. 알고 있다 : درى

تليفون (٤)
틸라푸-ㄴ

A: شكرا ، هنا شركة "هانكوك"
슈크란 후나 샤리카 '한국'

B: أريد أن أتحدث مع السيد كيم انسو
우리-드 안 아타핫다스 마앗 싸이드 김 인수

A: لحظة ، من فضلك
라흐좌 민 파들락

آلو ، متأسف انه غير موجود
알~루~ 무타아씹 인나후 가이르 마우주-드

B: متى سيكون ؟
마타 싸야쿠-ㄴ

A: لا أدرى جيدا
라 아드리 좌이단

هل أخبره يتصل بك ؟
할 우크비루후 야탓실 비카

B: نعم ، هنا ٣٢٦٤٠١٧ والاسم شريف
나암 후나 살라-사 이스난 씻타 아르바아
와-히드 싸브아 왈 이씀 샤리-프

43. 전화(5)

A: 여보세요. 샤리프씨와 통화할 수 있을까요?
B: 죄송합니다만 잘 안들립니다.
크게 말씀해 주세요.(목소리를 높여 주세요)
A: 샤리프씨 계십니까?
B: 그런 분은 안 계신데요. 몇 번 거셨습니까?
A: 501-8394번을 걸었는데요.
B: 미안합니다. 번호가 틀립니다.

주

- 올리다. 높이다 : رفع
- 음성, 소리 : صوت
- 누구, ~하는 사람 : من
- 번호 : نمرة
- 잘못, 실수 : غلط

تليفون (٥)
틸라푸-ㄴ

A: آلو ، هل يمكن أن أكلّم السيد شريف ؟
알-루- 할 윰킨 안 우칼리맛 싸이드 샤리-프

B: متأسف ، لا أستمعك جيدا
무타앗씹 라 아쓰마우카 좌이단

ارفع صوتك ، من فضلك
이르파으 쏘우탁 민 파들락

A: هل السيد شريف موجود ؟
할 릿 싸이드 샤리-프 마우주-드

B: لا يوجد من بهذا الاسم ، أي رقم تريد ؟
라 유-좌드 만 비하-달 이씀 아이 라끔 투리-드

A: أريد رقم ٨٣٩٤ _ ١٠٥
우리드 라꿈…

B: آسف ! النّمرة غلط
아~씹 안 니므라 갈라뜨

44. 전화(6)

A: 여보세요. 국제전화입니까?
   저는 한국 서울 523-3273과 통화하고 싶습니다.
B: 통화중인데요. 잠시만 기다리세요.
A: 통화료는 제가 낼겁니다.
   나중에 통화료를 알려주십시오.

주

- 국제간의, 국제적인 : دولي
- 남쪽의 : جنوبى
- 선, 전선 : خط
- 북쪽의 : شمالى

تليفون (٦)
틸라푸-ㄴ

A: آلو ، هل هذه المكالمات الدولية ؟
알~루 할 하-디힐 무칼-라마트 앗두왈리야

أريد مكالمة تليفونية مع رقم
우리-드 무칼-라마 틸리푸-니야 마아 라끔...

٣٢٧٣ ـ ٥٢٣ سيول ، كوريا الجنوبية
서울(씨울) 쿠리얄 좌누-비야

B: الخط مشغول ، انتظر قليلا
알 캇뜨 마슈구-ㄹ 인타쥐르 깔릴-란

A: اني أدفع ثمن المكالمة
인니 아드파으 사마날 무칼라마

تخبرنى ثمن المكالمة فيما بعد
투크비르니 사마날 무칼-라마 피-마 바으드

45. 병원, 약국(1)

A: 건강이 좋지 않아 보입니다.
B: 예. 머리에 통증을 느껴요.
A: 언제부터 아프기 시작했습니까?
B: 사흘 전부터입니다.
A: 병원에 가보시는 게 좋겠어요.
B: 저도 그렇게 생각합니다.

주

- ~처럼 보이다. ~인 것 같다 : بدا
- 건강 : صحة
- (~을) 느끼다. 감지하다 : شعر
- 통증, 아픔, 고통 : ألم
- 머리 : رأس
- 시작되다. 시작하다 : بدأ

المستشفى ،الصيدالية (١)
무쓰타쉬파, 솨이달리

A: أنت لا تبدو بصحة جيدة
안타 라 탑두 비 쉿하 좌이다

B: نعم ، أشعر بألم فى الرأس
나암 야슈우르 비 알람 피 라으쓰

A: متى بدأ الالم ؟
마타 바다알 알람

B: منذ ثلاثة أيام
문드 살라-사 아이얌

A: من الأفضل أن تذهب الى المستشفى
민날 아프돨리 안 타드하바 일랄 무쓰타쉬파

B: أنا أظن كذلك
아나 아준누 캐다-릭

46. 병원, 약국(2)

A: 어디가 아프십니까?
B: 독감에 걸릴 것 같습니다, 의사 선생님.
A: 두통이 있습니까?
B: 예, 심합니다. 열이 높구요.
A: 다른 증세는 없습니까?
B: 오한을 약간 느낍니다.

주

- 독감 : زكام
- 두통 : صداع
- 정도, 등급 : درجة
- 열 : حرارة
- 증상, 증세(복수) : عرض (أعراض)
- 냉기. 오한 : برودة

المستشفى، الميدالية (٢)
무쓰타쉬파, 쏴이달리

A: ماذا بك يا سيدى ؟
마-다 비카 야 싸이디

B: أظن أن عندى زكام يا دكتور
아준누 안나 에인디 주카-ㅁ 야 두크투-르

A: أعندك صداع ؟
아 에인다카 수다-으

B: نعم، صداع شديدة
나암 수다-으 샤디-드 와

ودرجة حرارتى عالية
다라좌 하라-라티 알-리야

A: هل ليس عندك أعراض اخرى ؟
할 라이싸 에인다카 아으라-드 우크라

B: أشعر بالبرودة قليلا
아슈우트 빌 부루-다 깔릴-란

47. 병원, 약국(3)

A: 진찰해 봅시다.
　우선 이 체온계를 입에 넣으세요.
　열이 높구요.
　맥박을 측정할테니 소매를 걷으세요.
　혈압이 조금 낮습니다.
　가슴을 진찰하겠습니다.
　심장은 정상입니다.

주

- 진찰하다. 조사하다 : فحص
- 놓다. 넣다. 두다 : وضع
- 측정기구 : مقياس
- (옷을)걷어올리다 : شمّر
- 고동, 맥박 : نبض
- 압력, 압박 : ضغط
- 피, 혈액 : دم

المستشفى ، الميدالية (٣)
무쓰타쉬파, 솨이달리

A: دعنى أفحص عليك
다으니 아프하수 알라이카

أولا ، ضع هذا مقياس الحرارة فى فمك
아우왈란 되으 하-다 미끄야-살 하라-라 피 팜믹

حرارتك عالية
하라-라투카 알-리야

شمّر على يدك لكى أقيس نبضك
샴미르 알라 야디카 리카이 아끼-쓰 나브닥

ضغط دمك منخفض قليلا
돠그뜨 담바 문카피드 칼릴-란

أستمع الى صدرك
아스타미으 일라 쏴드락

قلبك سليم
깔부카 쌀리-ㅁ

48. 병원, 약국(4)

A: 제 병세가 심한가요?
B: 아닙니다. 걱정하지 마십시오.
   주사를 놔 드리고, 약을 처방해 드리죠.
A: 언제나 제 상태가 좋아질까요?
B: 2주일 후면 될 겁니다(하나님이 원하신다면)
A: 언제 다시 와야 합니까?
B: 3일 후에 다시 오십시오.

주

- 병, 질병 : مرض
- 두려워하다. 걱정하다 : خاف
- 주사 : حقنة
- 처방하다 : وصف
- 약품, 약 : دواء
- 개선되다. 좋아지다 : تحسن

المستشفى ، الميدالية (٤)
무쓰타쉬파, 솨이달리

A: هل مرضى شديد ؟
할 마라둬 샤디-드

B: لا ، لا تخاف من مرضك
라 라타카-프 민 마라둑

سأعطيك حقنة وأصف لك الدواء
싸 우으띠카 후끄나 와 아쉽프 라캇 다와-

A: متى تتحسن حالتى ؟
마타 타타핫싼 할-라티

B: بعد أسبوعين ان شاء الله
바으다 우쓰부-아인 인 샤아 알라

A: متى يجب أن أعود مرة أخرى ؟
마타 야쥡 안 아우다 마르라 우크라

B: من فضلك ارجع مرة أخرة بعد ثلاثة أيام
이르쥐으 마르라 우크라 바으다 살라-사 아이얌

49. 병원, 약국(5)

A: 의사 선생님, 이 이빨이 몹시 아픕니다.
B: 이빨을 살펴 봅시다.
   썩은 이빨이 있군요.
   뽑아야 할 것 같습니다.
A: 그냥 놔 둘 수는 없을까요?
B: 그건 불가능합니다.
   너무 악화되어 있거든요.
   마취 주사를 놓아드리겠습니다.

주

- 이, 이빨(복수 أسنان) : سنّ
- 고통을 주다. 통증을 주다 : ألم
- 진찰하다. 조사하다 : كشف
- 썩은, 부패한 : تالف
- 뽑아내다. 제거하다 : خلع
- 계속. 보존 : ابقاء

المستشفى، الميدالية (٥)
무쓰타쉬파, 쉬이달리

A: ان هذه السنّ يؤلمنى يا دكتور
인나 하-디힛 씬 유올리무니 야 두크투-르

B: دعنى أكشف على الاسنان
다으니 아크쉽프 알랄 이쓰나-ㄴ

عندك سنّ تالفة
에인다카 씬 탈-리파

ينبغى أن أخلعه
얀바기-안 아클루아후

A: ألا يمكن الابقاء عليه؟
알라-윰킨 알입까으 알라이히

B: هذا غير ممكن، انه ردئ جدا
하다 가이르 뭄킨 인나후 라디으 쥣단

سأعطيك حقنة مخدّرة
싸우으띠-까 후끄나 무캇다라

50. 병원, 약국(6)

A: 이런 약 있습니까?
B: 예. 그건 조제약인데요. 잠시만 기다리세요.
A: 이 약을 어떻게 복용합니까?
B: 하루에 세번씩 복용하십시오.
A: 며칠 동안이나요?
B: 3일간입니다.

주

- 조제 : تركيب
- 기다리다 : انتظر
- 취하다. 복용하다 : أخذ
- 번. 횟수(복수 مرّات) : مرّة

المستشفى ، الصيدالية (٦)
무쓰타쉬파, 솨이달리

A: يا صيدلّى هل عندك هذا الدواء ؟
할 에인다카 아-닷 다와-

B: نعم ، هو دواء تركيب
나암 후와 다와- 타르키-ㅂ

انتظر قليلا ، من فضلك
인타쥐르 깔릴-란 민 파들락

A: كيف آخذ هذا الدواء ؟
캐이파 아-쿠드 하-닷 다와-

B: خذ هذا ثلاثة مرات فى اليوم
쿠드 하다 살라-스 마르라-트 필 야옴

A: لمدة كم يوم ؟
리 뭇다 캄 야옴

B: ثلاثة أيام
살라-사 아이얌

51. 은행에서(1)

A: 수표를 바꾸고 싶은데요.
B: 수표 뒤에 사인을 하셨습니까?
A: 예. 소액환으로 주십시오.
B: 잠깐만 기다리세요. 여기 있습니다.
A: 감사합니다. 수고하세요.
B: 안녕히 가십시오.

🟥 주

- 환전 : صرف
- 수표 : شيك
- 서명하다. 사인하다 : وقّع
- 현금(복수) : نقد (نقود)
- 총액, 금액 : مبلغ

فى البنك (١)
필 반크

A: أريد صرف هذا الشيك
우리-드 쑤르프 하닷 쉐이크

B: هل وقّعت على ظهر الشيك ؟
할 왓까으타 알라 주흐릿 쉐이크

A: نعم ، أريد بعض النقود الصغيرة
나암 우리-드 바으돤 누꾸-딛 쑤기-라

B: انتظر قليلا
인타쮜르 깔릴-란

هذا هو المبلغ
하-다 후왈 마블라그

A: شكرا ، مع السلامة
슈크르 마앗 쌀라-마

B: مع السلامة
마앗 쌀라-마

52. 은행에서(2)

A: 오늘 환율이 어떻게 됩니까?
B: 달러당 650원입니다.
A: 그럼 250달러는 얼마나 됩니까?
B: 162,500원입니다.
A: 언제 은행문을 닫습니까?
B: 12시 30분에 문을 닫습니다.

주

- 환전. 바꾸기 : تحويل
- 닫다 : قفل
- 문 : باب

في البنك(٢)
필 반크

A: ما سعر التحويل اليوم ؟
마 씨으룻 타흐위-르 알 야우마

B: ٦٥٠ ون عن كل دولار
씻타미아와 캄쑤-ㄴ 원 알라 쿨 둘라-르

A: كم ون لـ٢٥٠ دولار اذا ؟
캄 원 리 미아타인 와 캄쑤-ㄴ 둘라-르 이단

B: هو ٥٠٠ ١٦٢ ون
후와 미아와 씻틴 와 알파-인 와 캄쑤-ㄴ 원

A: متى يقفل البنك بابه ؟
마타 야끄필루 반크 바-바후

B: يقفل بابه فى الساعة الثانية عشرة
야끄필루 바-바후 핏 싸-아릿 사-니야

والنصف
아샤란 니스프

53. 은행에서 (3)

A: 예금을 하려 하는데요.
B: 구좌 번호가 어떻게 됩니까?
A: 현 구좌 번호는 1335-467입니다.
B: 얼마를 하시겠습니까?
A: 500달러 입니다.
B: 여기 영수증입니다. 여기에 사인을 해 주십시오.

주

- 예금하다 : أودع
- 현재의 : جار
- 영수증 : ايصال

في البنك (٣)
필 반크

A: أريد أن أودع بعض من النقد
우리-드 안 우왓디아 바으드 미난 누끄드

B: ما هو رقم حسابك
마 후와 라끔 히싸비-ㅋ

A: رقم حسابي الجاري ٤٦٧ - ١٣٣٥
라끔 히싸-빌 좌-리

B: كم مبلغ معك ؟
캄 마블라그 마아카

A: معي ٥٠٠ دولار
마이-캄수-ㄴ 둘라-르

B: ها هو الايصال
하 후왈 이-솰

وقّع هنا من فضلك
왓끼으 후나 민 파들락

54. 우체국에서(1)

A: 중앙 우체국은 여기서 멉니까?
B: 아니오. 가깝습니다.
A: 우체국은 몇 시에 문을 열죠?
B: 아침 9시예요.
A: 몇 시에 닫습니까?
B: 오후 5시예요.

주

- 사무실 : مكتب
- 우편 : بريد
- 중앙, 센터, 본부 : مركز
- (~에서) 먼 : بعيد عن
- (~에서) 가까운 : قريب من

في مكتب البريد (١)
피 마크 타빌바리-드

A: هل مكتب البريد المركزى بعيد عن هنا ؟
할 마크타불 바리-딜 마르카지 바이-드 안 후나

B: لا ، قريب من هنا
라 까리-ㅂ 민 후나

A: متى يفتح مكتب البريد ؟
마타 야프타흐 마크타불 바리-드

B: فى الساعة التاسعة صباحا
핏 싸-아팃 타-씨아 쏴바-한

A: ومتى يقفل ؟
와 마타 야끄필

B: فى الساعة الخامسة مساءً
핏 싸아틸 카-미싸 마싸아-

55. 우체국에서(2)

A: 우표 파는 창구가 어디지요?
B: 3번 창구입니다.
A: 항공 우표 5장 주세요.
B: 어느 지역입니까? 유럽 아니면 아시아?
A: 아랍 국가로요.
B: 가격은 2,500원입니다.

주

- 창문, 창구 : شباك
- 팔다 : باع
- 우표(복수 طوابع) : طابع
- 공기의, 대기의 : جوي
- 지역, 구역 : منطقة

في مكتب البريد (٢)
피 마크 타빌바리-드

A: أين شباك تباع الطوابع ؟
아이나 슙바-크 투 바-웃 똬와-비으

B: شباك رقم ثلاثة
슙바-크 라끔 살라-사

A: أعطنى خمسة طوابع بريد جوى من فضلك
아으띠니 캄싸 똬와-비으 바리-드 좌위-

B: أى منطقة تريد؟ لاوروبا أم آسيا ؟
아이 민똬까 투리-드 리 우룹바 암 아-시야

A: للبلاد العربية
릴 빌라딜 아라비야

B: الثمن ٥٠٠ ٢ ون
앗 사만 알 파인 와 캄싸 미아 원

56. 우체국에서(3)

A: 이 편지를 등기 우편으로 부치고 싶은데요.
  얼마나 들겠습니까?
B: 550원입니다.
A: 도착하려면 얼마나 걸립니까?
B: 3일 정도입니다.
A: 여기 요금 있습니다.
B: 영수증입니다.

주

- 발송하다. 보내다 : أرسل
- 서신, 편지 : خطاب
- 기록된, 등기된 : مسجل
- (비용이) 들다 : كلف

في مكتب البريد (٣)
피 마크 타빌바리-드

A: أريد ارسال هذا الخطاب بالبريد المسجّل
우리-드 이르쌀- 하달 키땁-ㅂ 빌 바리-딜 무쌋찰

كم يكلّفنى ؟
캄 유칼리프니

B: ٥٥٠ (خمس مئة وخمسون) ون
캄싸 미아와 캄씨-ㄴ 원

A: كم يستغرق حتى يصل ؟
캄 야스타그리끄 핫타 야쉴

B: ثلاثة أيام تقريبا
살라-사 아이얌 타끄리-반

A: هنا المبلغ ، تفضل
후날 마블라그 타팟달

B: ها هو الايمال
하 후왈 이-쌀-

57. 우체국에서(4)

A: 이 소포를 쿠웨이트에 보내려 하는데요.
B: 이 세관 서류를 적어 주십시오.
A: 세금을 물어야 합니까?
B: 예. 3kg을 초과하셨습니다.
A: 이 경우에는 제가 얼마를 내야죠?
B: 5천원입니다.

주

- 소포 : طرد
- 세금, 부과금 : ضريبة
- 증대하는, 초과하는 : زائد

في مكتب البريد (٤)
피 마크 타빌바리-드

A: أريد أن أرسل هذه الطرد الى الكويت
우리-드 안 우르씰라 하-디힛 똬르드 일랄 쿠와이트

B: املأ هذه استمارة الجمركية
이믈라으 하-디히 이스티마-랄 주므루키-

A: هل يجب أن أدفع أي ضريبة ؟
할 야쥽 안 아드피아 아이 돠리-바

B: لديك ٣ كيلوجرامات زائدة
라다이카 살라-사 킬두-그라-마-트 자-이다

A: وكم أدفع فى هذه الحال ؟
와 캄 아드파으 피 하-디힐 할-

B: أجرة البريد خمسة آلاف ون
우즈라툴 바리-드 캄싸 알라-프 원

58. 우체국에서(5)

A: 봉투에 쓰인 글씨가 분명하지 않군요.
   수신인 이름과 주소가 어떻게 됩니까?
B: 아브라함. 사우디. 리야드 1153입니다.
A: 발신인 이름과 주소는요?
B: 무함마드 아민, 카이로, 아사드 거리
   3576입니다.

주

- 봉투 : ظرف
- 수신인 : مرسل اليه
- 주소 : عنوان
- 발신인 : مرسل

في مكتب البريد (٥)
피 마크 타빌바리-드

A: الكتابة على الظرف غير واضحة
알 키타-바 알랒 주르프 가이르 와-뒤하

ما اسم المرسل اليه؟ وعنوانه؟
마 이쓰물 무르쌀 일라이히 와 운와-누후

B: ابراهيم الرياض ١١٥٣ السعودية
이브라힘 아리야-드 앗 쑤우-디야

A: وما اسم المرسل؟ وعنوانه؟
와 이쓰물 무르씰 와 운와-누후

B: محمد أمين ٣٥٧٦ شارع أسد بالقاهرة
무함맛 아미-ㄴ 샤-리으 아싸드 빌까-히라

59. 전신국에서

A: 전보를 치려 하는데요.
B: 이 전보 용지에 적어 주십시오.
A: 한 자당 얼마입니까?
B: 국내입니까, 아니면 해외입니까?
A: 해외입니다 쿠웨이트로요.
B: 한자당 300원입니다.

주

- 전보, 전신 : برقية
- 견본, 용지 : نموذج
- 단어, 말 : كلمة
- 국내의, ~의 내부에 : داخل
- 외국의, ~의 밖에 : خارج

في مكتب البرق
피 마끄타빌바르끄

A: أريد ارسال برقية
우리-드 이르싸-르 바르끼야

B: املأ هذه نمونج برقية من فضلك
이믈라으 하-디히 누무-다즈 바르끼야 민 파들락

A: بكم الكلمة الواحة ؟
비 캄 알 칼리마틸 와-히다

B: للداخل أم للخارج ؟
릿 다-킬 암 릴 카-리즈

A: للخارج والى الكويت
릴 카-리즈 와 일랄 쿠와이트

B: ٣٠٠ ون للكلمة الواحدة
살라사 미아 원 릴 칼리마틸 와-히다

60. 셋집(1)

A: 방 하나를 세들고 싶은데요.
B: 이 방은 어떻습니까?
A: 좋은데요. 셋돈은 얼마죠?
B: 한달에 10만원입니다.
A: 보증금은 없습니까?
B: 네 없습니다.

주

- 세내다, 임대하다 : استأجر
- 보증, 담보물 : ضمان

بيت للايجار (١)
우즈라툴바이트

A: أريد أن أستأجر غرفة
우리-드 안 아쓰타으쥐르 구르파

B: ما رأيك في هذه الغرفة ؟
마 라으유카 피 하-디힐 구르파

A: جيد ، كم الأجرة ؟
좌이드 캄 알우즈라

B: انها مئة ألف في الشهر
인나하 미아 알프 핏 샤흐르

A: أليس هناك ضمان ؟
알라이싸 후나-카 돠만-

B: لا ، ليس هناك
라 라이싸 후나카

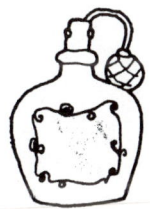

61. 셋집(2)

A: 방을 볼 수 있겠습니까?
B: 물론이죠. 같이 가십시다.
A: 집이 조용하고 아름답군요.
B: 맞습니다.
A: 방이 마음에 꼭 듭니다.
　　내일 계약을 하러 오겠습니다.
B: 좋습니다. 기다리고 있겠습니다.

주

- 올바름, 진실 : حق
- 계약 : عقد

بيت للايجار (٢)
우즈라툴바이트

A: هل يمكن أن أرى الغرفة ؟
할 윰킨 안 아랄 구르파

B: بالطبع ، هيا بنا
빗 땁브으 하야 비나

A: البيت هادئ وجميل
알 바이트 하-디으 와 좌미-ㄹ

B: معك حق !
마아카 핫끄

A: الغرفة تعجبنى تماما
알구르파 투으쥐브니 타마-만

سأحضر للعقد غدا
싸아흐돠르 릴 아끄드 가단

B: طيب ، سأكون فى انتظار
똬이입 싸아쿠누 핀티좌-르

62. 날씨

A: 밖에 날씨가 어떻습니까?
B: 날씨가 흐리고 바람이 붑니다.
A: 비가 올 것 같지는 않아요?
B: 일기예보에서 비가 올거라던데요.
A: 우산을 준비하시는 게 좋겠습니다.

주

- 기후 : طقس
- 구름 : غائم
- (바람이) 불다 : هب
- 바람(복수) : ريح (رياح)
- 비(복수) : مطر (أمطار)

الطقس
앗따끄스

A: كيف حال الطقس في الخارج ؟
캐이파 할루 따끄스 필 카-리즈

B: ان الطقس غائم وتهبّ الرياح
인낫 따끄스 가-임 와 타홉부 리야-흐

A: ألا تتوقع أن تنزل الأمطار ؟
알라 타타왓까으 안 탄질랄 암따-르

B: ستنزل الامطار طبقا للنشرة الجوية
싸 탄질룰 암따-르 땁깐 린 나슈라틸 좌위야

A: من الأفضل أن تستعدّ بمظلّة
민날 아프달 안 타스타잇다 비미찰라

63. 계절(1)

A: 오늘 날씨가 굉장히 화창한데요. 그렇지 않아요?
B: 예. 날씨가 온화하고 생기가 있습니다.
A: 봄은 생명의 계절이죠!
우리 시외로 나가는 게 어때요?
B: 좋은 생각입니다. 버스를 타고 갑시다.

주

- 상쾌한, 화창한 : لطيف
- 따뜻한, 온화한 : دافئ
- 생기있는 : منعش
- 봄 : ربيع
- 생명, 삶, 생활 : حياة

الفصول (١)
알마우씹

A: الجو لطيف جدا اليوم ، أليس كذلك ؟
알 좌우 라띠-프 쥇단 알 야우마 알 라이싸 캐다릭

B: نعم ، الجو دافئ ومنعش
나암 알 좌우 다피으 와 문이슈

A: فصل الربيع هو فصل الحياة !
파슬루 라비-으 후와 파슬룰 하야-

ما رأيك أن نذهب الى الخارج ؟
마 라으유카 안 나드하바 일랄 카-리즈

B: فكرة ممتازة
피크라 뭄타-자

هيا بنا بالاوتوبيس
하야 비나 빌우-투-비-스

64. 계절(2)

A: 여름은 언제부터입니까?
B: 6월부터 8월까지입니다.
A: 한국의 여름은 덥습니까?
B: 예. 무척 덥습니다.
기온이 35도 이상 올라갑니다. 그리고 비도 많이 내리죠.

주

- 계절(복수) : فصل (فصول)
- 여름 : صيف
- 더운 : حار

الفصول (٢)
알마우씹

A: متى يبدأ فصل الصيف ؟
마타 야브다으 파슬룻 솨이프

B: يستمرّ فصل الصيف من شهر يونيو
야스타미르르 파슬룻 솨이프 민 샤흐르 윤-유

وحتى شهر اغسطس
와 핫타 샤흐르 우그쓰뚜쓰

A: هل الصيف حارّ فى كوريا ؟
할릿 솨이프 하르르 피 쿠-리야

B: نعم ، حرّ جدا
나암 하르르 쩟단

تصل درجة الحرارة الى أكثر من
타 쉴루 다라좌툴 하라-라 일라 아크사르 민

خمس وثلاثين درجة
캄쓰 와 살라-신 다라좌

وتنزل الأمطار كثيرا
와 탄질룰 암똬-르 카시-란

65. 계절(3)

A: 오늘 날씨가 적당하지 않습니까?
B: 예. 정말이지 가을은 맑고 시원합니다.
A: 하늘은 짙푸르고, 구름 한 점 없어요.
B: 저는 가을을 가장 좋아합니다.

주

- 적당한 : مناسب
- 가을 : خريف
- 맑은 : صاف
- 하늘 : سماء
- 푸른색 : زرقة
- 한조각 : قطعة

الفصول (٣)
알마우씹

A: أليس الطقس مناسب اليوم ؟
알라이싸 앗 똬끄스 무나-씹 알야우마

B: نعم حقا الخريف صاف ولطيف
나암 하깐 알 카리-프 솨-프 와 라띠-프

A: السماء شديد الزرقة
앗싸마-샤디-둣 주르까

ولا يوجد قطعة غيم واحدة
와 라- 유-좌드 끼뜨아 가임 와히드

B: أنا أفضل الخريف
아나 아프달룻 카리-프

66. 계절(4)

A: 겨울에는 날씨가 춥습니까?
B: 예. 온도가 대체로 영하로 떨어집니다.
A: 눈이 많이 내립니까?
B: 예. 하지만 작년에는 눈이 적게 내렸습니다.

주

- 추운 : بارد
- 겨울 : شتاء
- 낮아지다. 내려가다 : انخفض
- 떨어지다. 낙하하다 : سقط
- 눈 : ثلج
- 희소한, 사소한 : خفيف

الفصول (٤)
알마우씹

A: هل الجو بارد في فصل الشتاء ؟
할릴 좌우 바-리드 피 파슬릿 쉬타-

B: نعم ، درجة الحرارة تنخفض
나암 다라좌툴 하라-라 탄크피드

تحت الصفر غالبا
타흐탓 쉬프르 갈-리반

A: هل يسقط الثلج كثيرا ؟
할 야스꾸뚯 살즈 카시-란

B: نعم ، لكن سقط ثلج خفيفة
나암 라킨 싸까똬 살즈 카피-파

في العام الماضي
필 암- 알 마-뒤

67. 시간(1)

A: 여름 휴가동안 특별한 계획이 있습니까? 하싼씨.
B: 저는 제주도에 갈 겁니다.
A: 거기에서 얼마나 머무르실 겁니까?
B: 1주일간 머무를 겁니다.
A: 멋진 휴가가 되시길 바랍니다.

주

- 계획 : خطة
- 휴가, 방학 : اجازة
- 섬 : جزيرة
- 희망하다. 바라다 : تمنى

الوقت (١)
알와끄뜨

A: هل عندك خطة خاصة فى الاجازة
할 에인다카 쿳똬 카-솨 필 이좌-자

الصيفية يا حسن ؟
자팃 쇼이피야 야 하싼

B: أنا سأذهب الى جزيرة جيجو
아나 싸 아드하부 일라 좌지-라 제주

A: كم مدة ستمكث هناك ؟
캄 뭇다 싸 탐쿠수 후나-카

B: سوف أمكث هناك لمدة اسبوع
싸우파 암쿠수 후나-카 리뭇다 우스부-으

A: أتمنى لك اجازة ممتازة
아타만나 라카 이좌자 뭄타-자

68. 시간(2)

A: 당신은 몇 시에 출근하십니까?
B: 아침 9시에 출근합니다.
A: 몇 시에 퇴근하십니까?
B: 5시에 퇴근합니다.
A: 지금 몇시죠?
B: 오후 2시 30분입니다.

주

- 작업. 일 : عمل
- 돌아가(오)다 : عاد
- 집 : بيت

الوقت (٢)
알와끄뜨

A: فى أى ساعة تذهب الى العمل ؟
피 아이-싸-아 타드하부 일랄 아말

B: أذهب فى التاسعة صباحا
아드하부 핏 타-시아 쇠바-한

A: فى أى ساعة يعود الى البيت ؟
피 아이-싸-아 타우--드 일랄 바이트

B: أعود فى الخامسة
아우--드 핏싸-아틸 카-미사

A: كم الساعة الان
카밋 싸-아툴 안-

B: انها الثانية والنصف بعد الظهر
안나하 앗사-니야 완 니스프 바으닷 주흐르

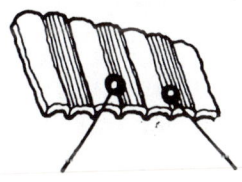

69. 시간(3)

A: 저는 이집트로 여행하러 갑니다.
B: 언제 가시는데요.
A: 모레 출발합니다.
B: 몇시 비행기로 출발하십니까?
A: 오후 3시 칼(대한 항공)편입니다.
B: 좋은 여행이 되시길 바랍니다.

주

- 의도하다 : نوى
- 여행하다 : سافر
- 희망하다, 기대하다 : رجا
- 행복한, 행운의 : سعيد

الوقت (٣)
알와끄뜨

A: أنا أنوى السفر الى مصر
아나 안윗 싸파르 일라 미스르

B: متى ستسافر ؟
마타 싸투싸-피르

A: سأغادر بعد غد
싸우가-디루 바으다 가드

B: أى طائر ستركب ومتى تغادر ؟
아이 똬이라 싸 타르카부 와 마타 투가-디르

A: سأركب الطائرة الكورية
싸 아르카붓 똬-이 쿠-리야

الساعة الثالثة بعد الظهر
앗 싸-앗 살-리사 바으닷 주흐르

B: أرجو أن يكون سفرك سعيد
아르주-안 타쿤-싸파룩 싸이-드

70. 시간(4)

A: 주말을 잘 지내셨습니까?
B: 예, 설악산에 가서 즐거운 시간을 보냈습니다. 토요일과 일요일에 무엇을 하셨습니까?
A: 집에서 텔레비젼을 보았습니다.

주

- ~을 즐기다. 누리다 : تمتع
- 끝 : نهاية
- 산 : جبل
- (시간을) 보내다 : قضى
- 보다. 구경하다 : شاهد

الوقت (٤)
알와끄뜨

A: هل تمتعت جيدا بنهاية الاسبوع ؟
할 타맛타으타 좌이단 비니하-야필 우스부-으

B: نعم ، ذهبت الى جبل "سوراك"
나암 다합투 일라 좌발 '설악'

فقضيت وقتا سعيدا
파 까돠이투 와끄탄 싸이-단

ماذا تفعل يوم السبت والأَحد ؟
마다 타프알루 야무밋 쌉트 왈아하드

A: كنت في البيت وشاهدت التليفزون
쿤투 필 바이트 와 샤할 툿 틸리-피주-ㄴ

71. 시간(5)

A: 이 시계좀 고쳐 주시겠어요?
B: 그러시죠.
A: 언제쯤 다 고칠까요?
B: 사흘 후에 오십시오.
A: 좀 더 빨리 수선할 수는 없을까요?
B: 어렵겠는데요.

주

- 수리, 수선 : اصلاح
- 완성되다, 끝내다 : تم
- 더 빠른 : أسرع

الوقت (٥)
알와끄뜨

A: هل يمكن اصلاح هذه الساعة ؟
할 윰킨 이슬라-흐 하-디힛 싸-아

B: نعم ، يا سيدى
나암 야 싸이디

A: متى يتم اصلاحها ؟
마타 야팀무 이슬라-흐하

B: ارجع بعد ثلاثة أيام
이르쥐으 바으다 살라-사타 아이얌

A: ألا يمكن أن تجعله أسرع قليلا ؟
알라 윰킨누 안 투즈일루후 아쓰라으 깔린-란

B: هذا غير ممكن
하-다 가이르 뭄킨

72. 초대와 방문

A: 토요일날 저녁 하시러 저희집에 오실 수 있겠습니까?
B: 대단히 죄송합니다만, 선약이 있는데요.
A: 좋습니다. 그럼, 일요일은 어떻겠습니까?
B: 괜찮습니다. 일요일에는 바쁘지 않거든요.
A: 됐습니다. 일요일날 뵙죠.

주

- 오다, 도착하다 : أتى
- 그렇다면, 그래서 : اذا ،اذن
- 방해하는, 금지하는 : مانع

الدعوة والزيارة (١)
앗 다으와 왓지야라

A: هل يمكن أن تأت عندنا
할 윰킨누 안 타으트 에인다마

يوم السبت للعشاء؟
야음 밋 쌉트 릴 아샤

B: متأسف جدا ، عندى موعد سابق
무타앗셉 젓단 에인디 마우이드 싸-비끄

A: طيب ، ما رأيك فى يوم الاحد اذا ؟
따이입 마 라으유카 피 야우밀 아하드 이단

B: لا مانع ، أنا لست مشغول يوم الاحد
라 마-니으 아나 라스투 마슈구-르 야우말 아하드

A: حسنا ، أراك يوم الاحد
하싸난 아라-카 야우말 아하드

73. 초대와 방문(2)

A : 어서 오세요.
B : 초대해 주셔서 정말 감사합니다.
A : 편히 하십시오.
B : 시험에 합격하신 것을 진심으로 축하드립니다.
A : 감사합니다.
    제 가족을 당신에게 소개하겠습니다.

주

- 가족 : أهل
- 쉬운 : سهل
- 가족처럼 쉽게! : أهلا وسهلا
- 합격, 성공 : نجاح
- 시험 : امتحان

الدعوة والزيارة (٢)
앗 다으와 왓지야라

A: أهلا وسهلا
아흘란 와 싸흘란

B: متشكر جدا على دوعتك الطيبة
무타샤키르 젓단 알라 다으와틱 똬이-바

A: بيتى بيتك
바이티 바이탁

B: ألف مبروك على النجاح فى الامتحان
알프 마브루-ㄱ 알란 나좌-흐 필 임티하-ㄴ

A: شكرا، أقدم عائلتى اليك
슈크란 우깟디무 아-일라티 일라이카

74. 초대와 방문(3)

A: 즐거운 시간을 가졌습니다.
　　이제 그만 가봐야되겠는데요.
B: 또 놀러오십시오.
A: 당신의 친절에 감사드립니다.
　　안녕히 계세요.
B: 안녕히 가세요.

주

- 필요한, 의무의 : لازم
- 떠나다. 가버리다 : انصرف
- 방문하다 : زاد
- 호의, 친절 : فضل

الدعوة والزيارة (٣)
앗 다으와 왓지야라

A: لقد تمتعت بوقت سعيد معك
라깓 타맛타으투 비와끄트 싸이-드 마아카

أنا لازم أنصرف
아나 라-짐 안솨리프

B: أتمنى أن تزورنا مرّة ثانية
아타만나 안 타주-르나 마르라 사니야

A: متشكر جدا على فضلك
무타샤키르 짓단 알라 파들릭

تصبح على خير
투스비흐 알라 카이르

B: مع السلامة
마앗 쌀라-마

75. 초대와 방문(4)

A: 무함마드씨 댁에 계십니까?
B: 아니오, 나가셨습니다.
   실례지만 성함이 어떻게 됩니까?
A: 제 이름은 김 인수입니다.
B: 명함을 가지고 계십니까?
A: 예. 여기 있습니다.

주

- ~씨, 미스터, 선생 : سيد
- 나가다. 외출하다 : خرج
- 카드 : بطاقة

الدعوة والزيارة (٤)
앗 다으와 왓지야라

A: هل السيد محمد موجود فى البيت ؟
할 릿 싸이드 무함맛 마우주드 필 바이트

B: لا ، هو خرج
라 후와 카라좌

وما هو اسمك ، من فضلك
와 마 후와 이스무카 민 파들락

A: اسمى كيم انسو
이스미 김 인수

B: هل عندك بطاقة اسم ؟
할 에인다카 비똬-까 이씀

A: نعم ، ها هي
나암 하-히야

76. 가족(1)

A: 가족이 몇 명입니까?
B: 우리 가족은 여섯 명입니다.
　 부모님과 아들 둘, 딸 둘이죠.
　 아버님은 사업가이시고, 형님은 은행에
　 다니십니다.
　 그리고 두 누나가 있죠.
A: 우리 가족은 다섯 명입니다.

주

- 사람, 개인 (복수 أشخاص) : شخص
- 어머니 : والدة
- 아버지 : والد
- 소녀, 딸 : بنت
- 아들, 소년 : ابن
- 누이, 자매 : أخت
- 형제, 형 : أخ

شجرة العائلة (١)
알우쓰라

A: كم عدد أشخاص أسرتك ؟
캄 아다드 아슈카-스 우스라탁

B: اسرتنا تتكون من ستة أشخاص
우스라투나 타타카우와누 민 씻타 아슈카스

والدان وابنان وبنتان
왈-리다-니 와 이브나-니 와 빈타니

والدنا رجل أعمال
왈-리두나 라줄 아으말

وأخى الكبير يعمل فى البنك
와 아키 캐비-르 야으말루 필 반크

ولى أختان كبيرتان
와 리 우크타니 캐비-라타-니

A: عدد عائلتى خمسة أشخاص
아다드 아-일라티 씻타 아슈카-스

77. 가족(2)

A: 김선생님, 어디에 사십니까?
B: 저는 서울에서 삽니다.
A: 가족과 함께 사십니까?
B: 아니오. 내 가족은 시골에 삽니다.
A: 언제 시골에 있는 집으로 가십니까?
B: 이번 휴가 동안에 갈 겁니다.

주

- 살다. 거주하다 : سكن
- 도시, 시 : مدينة
- 가족 : أسرة = عائلة
- 간격, 거리 : مسافة

شجرة العائلة (٢)
알우쓰라

A: أين تسكن ؟ يا سيد كيم
아이나 타스쿤 야 싸이드 킴

B: أسكن فى مدينة سيول
아쓰쿠누 피 마디나 서울

A: هل تسكن مع أسرتك ؟
할 타쓰쿠누 마아 우쓰라틱

B: لا ، تسكن أسرتى فى الريف ؟
라 타스쿠누 우쓰라티 피-리-프

A: متى تذهب الى بيتك فى الريف
마타 타드함 일라 바이틱 피-리-프

B: سأنهب خلال هذه الاجازة
싸 아드함 킬랄-라 하-디힐 이좌-자

78. 약속

A: 이브라힘! 내일 우리 약속 잊지 마세요.
B: 걱정마세요. 잊지 않을 겁니다.
A: 제가 지하철 역에서 기다릴까요? 다방에서 기다릴까요?
B: 제가 직접 다방으로 가겠습니다.
A: 좋아요. 늦지 마세요.

주

- 망각하다. 잊다 : نسى
- 직접적으로 : مباشرة
- 그러나, 하지만 : لكن

الوعد
알 마우이드

A: لا تنس موعدنا غدا يا ابراهم
라-탄싸 마우이다나 가단 야 이브라힘

B: لا تخف ، لن أنسى
라-타카프 란 안싸

A: هل أنتظرك فى محطة المتر أو فى المتر
할 안타쥐루카 피 마핫똬틸 미투루 아우 필 마끄하

B: أذهب الى المقهى مباشرة
아드하부 일랄 마끄하 무바-샤라

A: طيب ، لكن لا تتأخّر
똬이입 라킨 라-타타앗카르

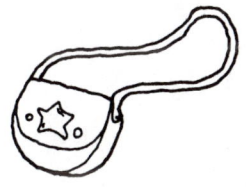

79. 스포츠(1)

A: 히야! 관중들이 무척 많은데!
B: 저길 보세요. 선수들이 들어옵니다.
A: 한국팀은 붉은 유니폼을 입고 있는데요.
B: 이제 곧 경기가 시작될 겁니다.
A: 보세요. 우리팀이 한 점을 얻어냅니다.
B: 그렇군요! 우리팀이 일본팀에 앞서고 있어요.

주

- 관중, 군중 : جمهور
- 선수 : لاعب
- 팀 : فريق
- 유니폼 : بزة
- 시합, 경기 : مباراة
- 앞서다 : تقدم

الرياضة (١)

알리야-드

A: يا سلام ! يوجد جمهور كثير جدا
야 쌀람 유-좌드 줌후르 캐시르 젓단

B: انظر الى ذلك يدخل اللاعبون
운주르 일라 달-리카 야드쿨룰 라-이분-

A: يلبس فريق كوريا بزّة حمرة
얄바쑤 파리-끄 쿠-리야 빗자 후므라

B: سيبدأ المبارة حالا
싸야브다으 알무바-라 할-란

A: انظر ! لقد أصاب فريقنا هدفا
운주르 라깐 아솨-바 파리-끄나 하다판

B: صحيح ، يتقدم فريقنا على فريق اليابان
솨히-흐 야타깟담 파리-꾸나 알라 파리-낄 야-반-

80. 스포츠(2)

A: 수영할 수 있습니까?
B: 예, 물론이죠. 수영을 좋아합니다.
A: 어디서 수영하시는데요?
B: 저는 수영클럽의 회원입니다.
A: 그렇다면, 저에게 수영을 가르쳐 주실 수 있겠습니까?
B: 언제든지요.

주

- 수영하다 : سبح
- 회원, 멤버 : عضو
- 클럽 : ناد
- 가르치다 : علّم

الرياضة (٢)

알리야-드

A: هل يمكنك أن تسبح سباحة ؟
할 윰키누카 안 타쓰바흐 씨바-하

B: نعم ، طبعا ، أنا أحب السباحة
나암 똬브안 아나 우힙붓 씨바-하

A: وأين تسبح ؟
와 아이나 타스바흐

B: أنا عضو فى نادى السباحة
아나 우두-피 나-딧 씨바-하

A: أيمكنك أن تعلمنى سباحة اذا ؟
아 윰키누카 안 투알리무니 씨바-하 이단

B: فى أى وقت
피 아이 와끄트

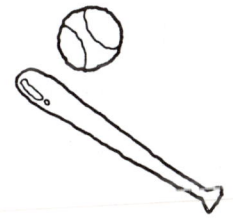

81. 스포츠(3)

A: 어떤 운동을 좋아하십니까?
B: 저는 테니스를 좋아합니다.
　 매일 두시간씩 치고 있어요.
　 당신은 어떤 운동을 좋아하세요.
A: 저는 축구와 야구를 좋아합니다만
　 사실 구경하기를 더 좋아해요.

주

- 종류 : نوع
- 볼, 공 : كرة
- 발 : قدم
- 놀이, 게임 : لعبة

الرياضة (٣)
알리야-드

A: أى نوع من الرياضة تحب ؟
아이-나우으 민나리야-롸 투힙부

B: أحب كرة التنس
우힙부 쿠라탓 테니스

ألعب كرة التنس لمدة ساعتين كلّ يوم
알 압 쿠라탓 테니스 리 뭇다 싸-아타인 쿨라 야움

وأنت أى نوع ؟
와 안타 아이 나우으

A: أحب كرة القدم ولعبة البيسنول
우힙부 쿠라탈 까담 와 라으바탈 베이스 볼

لكن أفضّل مشاهدتها فعلا
라킨 아프달루 무샤-하다티하 피을란

82. 영화(1)

A: 오늘 저녁 영화관에 가시겠습니까?
B: 그러죠, 뭐.
그런데 무슨 영화를 볼 건가요?
A: '사랑은 얼마나 아름다운가'라는 영화를 보셨습니까?
B: 아직 못보았는데요.
A: 아주 아름다운 영화라고 들었습니다.

주

- 영화, 영화관 : سينما
- 문제 : مشكلة
- 영화, 필름 : فيلم

السنيما (١)
앗씨네마

A: هل تحب الذهاب الى السنيما هذا المساء ؟
할 투힙붓 다하-ㅂ 일랏 시니-마 하-달 마싸아-

B: لا مشكلة ،
라 무수킬라

A: لكن أى فليم نشاهد ؟
라킨 아이 필름 누샤-히드

هل شاهدت الفيلم "ما أجمل الحبّ؟
할 샤핟탈 필름 '마 아즈 말랄 훕브'

B: لا ، أنا لم أشاهده بعد
라 아나 람 우샤-히드후 바으드

A: سمعت أنه فيلم جميل جدا
싸미으투 안나후 필름 좌미-ㄹ 줫단

83. 영화(2)

A: '발코니'로 좌석 둘 주십시오.
B: 어느 시간으로요?
A: 오늘 저녁 6시로요.
B: 죄송합니다만, 뒷 좌석밖에는 없는데요.
A: 좋습니다. 좌석 둘 주세요.
티켓당 얼마죠?

주

- 줄, 열 : صف
- ~의 뒤에 : خلفى
- 단지, 오직 : فقط

السنيما (٢)
앗씨네마

A: أريد مقعدين فى البكون
우리-드 마끄아다인 필 발-쿤-

B: فى أى ساعة ؟
피 아이-싸-아

A: فى الساعة السادسة هذا المساء
핏 싸-아핏 싸-디싸 하-달 마싸아--

B: آسف ، عندنا مقاعد فى الصف الخلفى فقط
아~썹 에인다나 마까-이드 핏 샷핏 칼피 파깓

A: حسنا ، أعطنى مقعدين
하싸난 아으띠니 마끄아다인

كم ثمن التذكرة ؟
캄 사만눗 타드키라

84. 영화(3)

A: 너 어제 극장에 갔었지, 그렇지 않니?
B: 야아! 그걸 어떻게 알았지?
A: 극장에서 어제 널 보았거든.
　 영화는 어땠니? 마음에 들었어?
B: 솔직히 말하자면,
　 나는 내내 잠을 잤어.

주
- 어제 : أمس
- 잠자다 : نام
- ～동안, 내내 : طول

السنيما (٣)
앗씨네마

A: ‎ذهبت الى السنيما أمس
다합 일랏 시니-마 암쓰

‎أليس كذلك ؟
알라이싸 캐다-맄

B: ‎يا سلام ، كيف تعرف ذلك ؟
야 쌀라-ㅁ 캐이파 타으리프 다-리카

A: ‎أنا رأيتك أمس فى السنيما
아나 라아이투카 암쓰 핏 시니-마

‎ما رأيك فى الفيلم هل أعجبك ؟
마 라으유카 필 필름 할 아으좌빜

B: ‎أقول الحقيقة ، أنا نمت طول الوقت !
아꿀-룰 하끼-까 아나 님투 뚤-랄 와끄트

85. 서비스(1)

A: 머리 좀 깎으려고 하는데요.
B: 의자에 앉으세요?
　　어떻게 잘라드릴까요?
A: 너무 짧게 자르지 마세요.
　　양쪽을 좀 잘라주십시오.
B: 됐습니다. 머리를 감겨드리죠.

주

- 자르다, 깎다 : قصّ
- 머리카락 : شعر
- 앉다 : جلس
- 측면, 옆 : جانب
- 씻다 : غسل

الخدمة (١)
알키드마

A: أريد أن أقصّ شعري
우리-드 안 아꾸스 쉬으리-

B: تفضل ، اجلس هنا
타팟돨 이즐리스 후나

كيف تحب أن تقصّه ؟
캐이파 투힙부 안 타꾸솨후

A: لا تقصّه قصيرا جدا
라-타꾸수후 까시-란 젓단

قصّ من الجانبين قليلا
낏스 민날 좌-니바인 깔릴-란

B: حسنا ، سأغسل شعرك
하싸난 싸우갓씰루 쉬으라

86. 서비스(2)

A: 사진을 찍고자 하는데요.
B: 의자에 앉아주세요.
　　여기를 보세요.
　　얼굴을 약간만 밑으로 숙이세요.
　　좋습니다. 미소 지으세요.
A: 언제 찾으러 올까요?
B: 사흘 뒤에 오십시오.

주

- 사진(복수) : صورة (صور)
- 의자 : كرسي
- 얼굴 : وجه
- 더 아래에, 더 낮은 : أسفل
- 미소짓다 : ابتسم

الخدمة (٢)
알키드마

A: أريد أن آخذ الصور
우리-드 안 아-쿠드 앗 수와르

B: اجلس على الكرسي من فضلك
이즐리스 알랄 쿠르씨 민 파들락

انظر هنا ، اجعل وجهك الى الأسفل قليلا
인타쥐르 후나 이즈알 와즈학 일랄 우쓰팔 깔릴-란

حسنا ، وابتسم
하싸난 와비타씸

A: متى أرجع لآخذ بصور ؟
마타 아르쥐으 리아쿠드 비 수와르

B: ارجع من فضلك بعد ثلاثة أيام
이르쥐으 민 파들락 바으다 살라-사 아이얌

87. 서비스(3)

A: 가까운 주유소가 어디에 있습니까?
B: 거리 끝에서 왼쪽으로 도세요.
A: 휘발유 좀 넣어주세요.
  그리고 밧데리도 검사해 주세요.
C: 밧테리를 갈아야하겠습니다.
A: 그래요? 그렇다면 갈아주세요.

주

- 구부러지다, 기울다 : انعطف
- 교환하다, 바꾸다 : غيّر

الخدمة (٣)
알키드마

A: أين أقرب محطة بنزين ؟
아이나 아끄랍 마핫똬 빈지-ㄴ

B: انعطف يسارا فى آخر الشارع
인아띠프 야싸란 필 아-카릿 샤-리으

A: املأ بنزين من فضلك
이믈라으 빈-진-민 파들락

واكشف على البطارية
와 이크쉽프 알랄 바똬-리야

C: من الواجب أن تغير البطارية
민날 와-쥡 안 투가이-르 알바똬-리야

A: حقا ؟ غير هذه البطارية اذا
하깐? 가이-르 하-디힐 바똬-리야 이단

제 4 장

아랍어 기본 실력 향상을 위한
수사, 요일, 월명

숫자의 명칭

기수	아라비아 숫자	남성	여성
1	١	أحد 아하드 واحد 와—히드	احدى 이흐다 واحدة 와—히다
2	٢	اثنان 이스나—ㄴ	اثنتان 이스나타—ㄴ
3	٣	ثلاثة 살라—사	ثلاث 살라—스
4	٤	أربعة 아르바아	أربع 아르바으
5	٥	خمسة 캄싸	خمس 캄쓰
6	٦	ستة 씻타	ست 씻트
7	٧	سبعة 싸브아	سبع 싸브으
8	٨	ثمانية 사마—니야	ثمان 사만—ㄴ

9	٩	تسعة 티쓰아	تسع 티쓰으
10	١٠	عشرة 아샤라	عشر 아샤르
11	١١	أحد عشر 아하다 아샤르	احدى عشر 이흐다 아샤라
12	١٢	اثنا عشر 이스나 아샤르	اثنتا عشرة 이스나타—아슈라
13	١٣	ثلاثة عشر 살라시타 아샤르	ثلاث عشرة 살라사—아슈라
14	١٤	أربعة عشر 아르바아타 아샤르	أربع عشرة 아르바아 아슈라
15	١٥	خمسة عشر 캄싸타 아샤르	خمس عشرة 캄싸 아슈라
16	١٦	ستة عشر 씻타라 아샤르	ست عشرة 씻타 아슈라
17	١٧	سبعة عشر 싸브아타 아샤르	سبع عشرة 싸브아 아슈라
18	١٨	ثمانية عشر 사마니야타 아샤르	ثماني عشرة 사마니야 아슈라

19	١٩	تسعة عشر 티쓰아타 아샤르	تسع عشرة 티스아 아슈라
20	٢٠	عشرون 에슈루—ㄴ	
21	٢١	أحد وعشرون 아하드와 에슈루—ㄴ	احدى وعشرون 이흐다 와 에슈루—ㄴ
22	٢٢	اثنان وعشرون 이스나—니 와 에슈루—ㄴ	اثنتان وعشرون 이스나타—니 와 에슈루—ㄴ
23	٢٣	ثلاثة وعشرون 살라—사 와 에슈루—ㄴ	ثلاث وعشرون 살라스 와 에슈루—ㄴ
30	٣٠	ثلاثون 살라—수—ㄴ	
40	٤٠	أربعون 아르바우—ㄴ	
50	٥٠	خمسون 캄쑤—ㄴ	
60	٦٠	ستون 씻툰	
70	٧٠	سبعون 싸브우—ㄴ	

80	٨٠	ثمانون 사마—누—ㄴ
90	٩٠	تسعون 티쓰우—ㄴ
100	١٠٠	(مائة) مئة 미아
200	٢٠٠	(مائتان) مئتان 미아타—ㄴ
300	٣٠٠	(ثلاثمائة) ثلاث مئة 살라수 미아
400	٤٠٠	أربع مئة 아르바우 미아
500	٥٠٠	خمس مئة 캄쑤 미아
600	٦٠٠	ست مئة 씻투 미아
700	٧٠٠	سبع مئة 싸브우 미아
800	٨٠٠	ثماني مئة 사마—니 미아

900	٩٠٠	تسع مئة 티쓰우 미아
1,000	١,٠٠٠	ألف 알프
2,000	٢,٠٠٠	ألفان 알파니
3,000	٣,٠٠٠	ثلاثة آلاف 살라—사툴 알프
10,000	١٠,٠٠٠	عشرة ألف 아슈라 알프
100,000	١٠٠,٠٠٠	مئة ألف 미아 알프
1,000,000	١,٠٠٠,٠٠٠	(مليون) ألف ألف 알프 알프 말유—ㄴ

서 수

서수	남 성	여 성
1	الأوّل 알 아우왈	الأولى 알울라
2	الثانى 앗 사—니	الثانية 앗사—니야
3	الثالث 앗 살—리스	الثالثة 앗살—리사
4	الرابع 아르라—비으	الرابعة 아르라—비아
5	الخامس 알카—미쓰	الخامسة 알카—미싸
6	السادس 앗싸—디스	السادسة 앗싸—디싸
7	السابع 앗싸—비으	السابعة 앗싸—비아
8	الثامن 앗사—민	الثامنة 앗사—미나

9	التاسع 앗타−씨으	التاسعة 앗타−씨아
10	العاشر 알아−쉬르	العاشرة 알아−쉬라
11	الحادى عشر 알하−디야 아샤르	الحادية عشرة 알하−디야타 아슈라
12	الثانى عشر 앗사−니야 아샤르	الثانية عشرة 알사−니야타 아슈라
13	الثالث عشر 앗살−리사 아샤르	الثالثة عشرة 알살−리사타 아슈라
14	الرابع عشر 아르라−비아 야샤르	الرابعة عشرة 아르라−비아타 아슈라
20	العشرون 알에슈루−ㄴ	
100	المئة 알미아	
1,000	الألف 알알프	

분 수

분 수	단 수	복 수
$\frac{1}{2}$	نصف 니스프	أنصاف 안솨-프
$\frac{1}{3}$	ثلث 술스	أثلاث 아슬라-스
$\frac{1}{4}$	ربع 룹으	أرباع 아르바-으
$\frac{1}{5}$	خمس 쿰쓰	أخماس 아크마-쓰
$\frac{1}{6}$	سدس 쑤드쓰	أسداس 아쓰다-쓰
$\frac{1}{7}$	سبع 쑤브으	أسباع 아쓰바-으
$\frac{1}{8}$	ثمن 숨	أثمان 아스마-ㄴ
$\frac{1}{9}$	تسع 투쓰으	أتساع 아트싸-으
$\frac{1}{10}$	عشر 우슈르	أعشار 아으샤-르

요일(曜日)

일요일	يوم الأحد 야우물 아하드
월요일	يوم الاثنين 야우물 이스나-ㄴ
화요일	يوم الثلاثاء 야우뭇 살라-사
수요일	يوم الأربعاء 야우물 아르비아
목요일	يوم الخميس 야우물 카미-스
금요일	يوم الجمعة 야우물 줌아
토요일	يوم السبت 야우뭇 쌉트

월명(月名)

월 명	이집트, 리비아, 수단	레바논, 시리아, 이라크
1월	يناير 야나-이르	كانون الثانى 카-누늣 사-니
2월	فبراير 피브라-이르	شباط 슈바-뜨
3월	مارس 마-리쓰	آذار 아-다-르
4월	أيريل 아브리-르	نيسان 니싸-ㄴ
5월	مايو 마-유	أيار 아이야르
6월	يونيو 유-ㄴ유	حزيران 하지-라-ㄴ
7월	يوليو 유-ㄹ유	تموز 탐무-즈
8월	أغسطس 아구쓰뚜쓰	آب 아-ㅂ
9월	سبتمبر 쌉탐비르	أيلول 아이루-ㄹ

10월	أكتوبر 워투-비르	تشرين الأول 티슈리눌 아우왈
11월	نوفمبر 누핌비르	تشرين الثانى 티슈리눗 사니
12월	ديسمبر 디셈비르	كانون الأول 카누-눌 아우왈

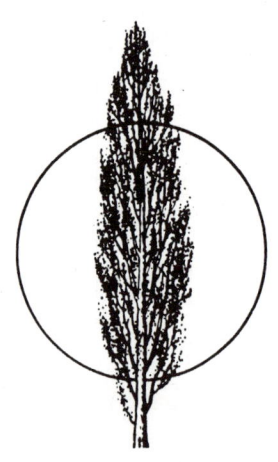

이슬람력의 월명

제 1 월	المحرم	알 무하르람
제 2 월	صفر	솨파르
제 3 월	ربيع الأول	리비-울 아우왈
제 4 월	ربيع الثانى	라비-웃 사-니
제 5 월	جمادى الأولى	주마-달 울-라
제 6 월	جمادى الآخرة	주마-달 아-키라
제 7 월	رجب	라 잡
제 8 월	شعبان	샤으바-ㄴ
제 9 월	رمضان	라마돠-ㄴ

제10월	شوال	샤우와—ㄹ
제11월	ذو القعدة	두—ㄹ 까으다
제12월	ذو الحجة	두—ㄹ 힛좌

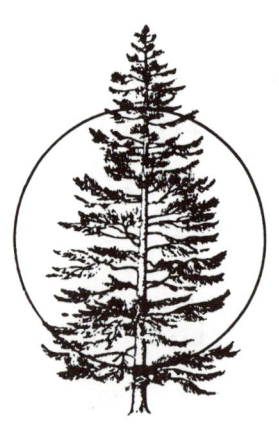

제 5 장

아랍어 실력기초 향상을 위한
아랍어 문학 독해

주하—돕는 사람

한 작은 마을에 주하라는 사람이 살았었다. 그는 가는 곳마다 동네사람들에게 말썽을 일으켰는데 그가 나쁜 사람이어서가 아니라 자신을 위해 해야 할 일이 아무것도 없었기 때문에 누구든지간에 다른 사람을 도우려 했다. 하지만 다른 사람을 돕는 것보다는 차라리 괴롭히는 쪽이었고, 언제나 그런 식이었다.

그 마을에서 구두 만드는 일을 하는 한 가족이 있었는데 주하가 그들을 도우러 왔을 때, 구두 만드는 것

جحا .... المعاون

فى قرية صغيرة عاش رجل اسمه جحا. وكان جحا كلما ذهب الى مكان يضايق الناس ويزعجهم. ولكنه لم يكن رجلا شريرًا.

لم يكن عند جحا عملا ثابتًا يعمله، فقد كان عاطلا لذلك كان دائمًا يحاول أن يشغل نفسه بمساعدة الآخرين.

لكنه كان دائمًا يضايق الآخرين بدلا من أن يساعدهم وكان فى تلك القرية أسرة يشتغل أفرادها بصناعة الأحذية رفض أفراد هذه الأسرة أن يساعدهم جحا لأنه لم يكن يعرف شيئا عن صناعة الأحذية.

لذلك طلبوا منه أن يرعى طفلا صغيرا وأن يطعمه كلما حان موعد الطعام. وأن

에 대해 아무것도 모르는 그가 돕는 것을 원하지 않았다. 그래서 주하에게 어린아이를 돌보고 시간이 되면 음식과 물을 주도록 부탁했다. 그는 어린아이를 잘 보살피겠다고 말하며 받아들였다.

어린아이가 집 밖으로 뛰어나갈 때, 주하는 그에게 부탁했던 것처럼 조심스럽게 바라 보며 서 있었다. 그 부모는 어린애가 도망치도록 내버려 둔 것에 화가 나서 그에게 떠나라고 요구했다.

주하는 아침을 먹고 있던 다른 가족의 집에 갔다. 그가 역시 돕기를 원하였고 음식이 너무 짜서 사람들의 목이 말랐기 때문에 물을 가져오도록 보내졌다. 물

يعطيه الماء ليشرب .

فقبل جحا وقال : ـ
سأرعى طفلكم رعاية جيدة

وعندما جرى الطفل خارجًا من البيت
وقف جحا يراقبه مثلما طلبوا منه أن يفعل .

فغضب أهل الطفل من جحا .
وطلبوا منه أن يذهب لأنه ترك الطفل
يشرد .

ذهب جحا الى بيت عائلة أخرى فوجدهم
يتناولون طعام الافطار وأراد جحا أن يساعد
تلك الأسرة أيضًا فطلبوا منه أن يسقيهم و
لأن طعامهم كان كثير الملح فقد كانوا
يطلبون الماء باستمرار .

وكان مكان الزير بعيدًا .

فكان جحا يأخذ الكوب الصغير ويحضر

항아리가 멀리 떨어져 있었고, 주하는 작은 컵 하나를 가졌을 뿐이어서 모든 사람들을 위해서는 물을 나르러 여러 번 왕복해야 했기 때문에 곧 피곤해졌다. 주하는 물항아리에서 가까운 곳에 주저앉아 소리치기 시작했다. "도와줘요!", "도와줘요!" 사람들이 무슨 일이 있었는지 보려고 모두 달려왔을 때 그가 말했다. "지금 더 좋은 것을 느꼈어요. 내가 물을 나르느라 피곤해졌지만, 이젠 당신들이 모두 여기에 있으니까 스스로들 물을 충분히 마시기로 해요."

마을 사람들은 주하가 결코 자신들을 괴롭히기를 멈추지 않을 것이라는 것을 알고는 주하를 남겨 두고

الماء من الزير البعيد ولكنه تعب لأنهم كانوا يطلبون الماء بكثرة . وازير بعيد وكوب الماء الوحيد كان صغيرًا .

تعب جحا فسقط على الأرض بالقرب من الزير وأخذ يصيح :ـ

النجدة ! النجدة !

فجرى الناس نحوه ليروا ما حدث له ولما رأى جحا أن الناس كلهم قد حضروا قال لهم انني بخير ،ولكنني تعبت من حمل الماء والآن بما أنكم جميعكم هنا ، فليشرب كل واحد منكم كفايته من هذا الزير .

عرف أهل القرية أن جحا لن يتوقف عن إزعاجهم ومضايقتهم .

قرر أهل القرية أن يغادروا قريتهم ، وأن يتركوا جحا خلفهم وبذلك يتخلصون منه .

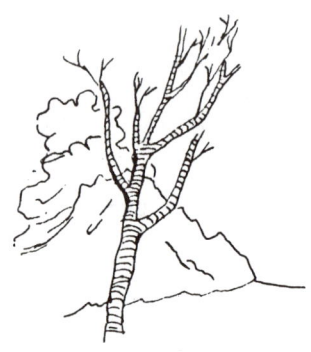

자기네들 마을을 떠나기로 결정했다. 그들은 몰래 물건들을 모아서 주하에게서 벗어난 것을 기뻐하며 한밤중에 떠났다. 그러나 새로운 마을에 도착해서 물건들을 풀었을 때 놀랍게도 그들은 상자들 중 하나에서 잠자고 있는 주하를 발견했다.

주하가 깨어나 말하기를 "나는 당신들이 나를 데려가는 걸 잊을까봐 염려했어요. 그러면 나의 도움을 받을 수 없잖아요. 내가 당신들을 도울 수 있다는 걸 확신시키기 위해 이 상자 안에 따라왔어요."

마을 사람들은 한번 더 주하를 떼어 놓기로 결정했다. 그들은 주하에게 자기들은 연장을 가지러 옛 마을로 모두 돌아가야 한다고 말하면서 오늘 식량과 소유

جمع أهل القرية كل أشيائهم سرًا وعند
منتصف الليل غادر أهل القرية قريتهم ،
وهم مسرورين لأنهم تخلصوا من جحا .

ولكنهم حين وصلوا الى القرية الجديدة
وحلوا أمتعتهم وجدوا جحا نائما فى أحد
المناديق .

وأستيقظ جحا من نومه وقال :ـ

لقد خفتُ أن تنسونى وراءكم فتحرمون
أنفسكم من مساعدتى لكم لذلك اختبأت داخل
هذا الصندوق وها أنذا معكم

وقرر أهل القرية مرة أخرى أن يتخلصون
من جحا . فقالوا له إنهم سوف يعودون الى
قريتهم القديمة ليحضروا أدوات العمل ،
ولكنهم قيل أن ينهبوا طلبوا من جحا أن
يبقى لحراسة باب المخزن لأنهم وضعوا
بداخله ما يملكون من مال . وحالما وصل

물이 들어 있는 창고의 문을 지키기 위해 주하가 남을 것을 부탁했다. 얼마 뒤에 옛 마을에 그들이 다다랐을 때, 주하가 머리 위에 그 문을 이고서 왔다.

".나는 한밤중에 내가 자는 동안 도둑들이 와서 문을 훔칠 것 같아 두려웠어요. 그래서 그 문을 운반하는 것이 더 안전하리라고 생각해서 당신들을 따라왔어요." 라고 그는 설명했다.

결코 주하를 떼어 놓을 수 없다고 생각한 마을 사람들은 그 마을에서 그가 살도록 허락하였고, 주하는 여생을 그들과 함께 보내었다.

الناس الى قريتهم القديمة أتاهم جحا
وهو يحمل الباب على رأسه .

ولما سألوه رد عليهم جحا قائلا :ـ

لقد خفت أن يأتى أحد اللصوص فى الليل
فيجدنى نائمًا ويسرق الباب ولذلك
فلقد رأيت من الأسلم أن أحضر الباب
معى وأتبعكم .

فعلم أهل القرية أنهم لا يستطيعون
التخلص من جحا أبدًا وسمحوا له أن يعيش
معهم فى قريتهم . الى أن يخلصهم القدر
منه . وهكذا عاش جحا مع أهل القرية
الى آخر حياته .

쉬와일과 쉬와일라

옛날에 쉬와일과 쉬와일라라는 남매가 살았었다. 어느날 그 둘은 결혼한 누이인 파띠마를 찾아가기로 결정하고는 그녀에게 줄 선물로 수수를 가지고 갔는데 돌아올 때는 암소 한 마리를 받아왔다.

집으로 오는 도중에 쉬와일이 쉬와일라에게 말했다.

"우리는 걷느라고 피곤해졌는데, 타고 갈 당나귀가 없으니 이 나귀를 타기로 하자."

쉬와일라가 찬성하였고, 두 사람은 암소 등에 탔다.

شويل وشويلة

في مرة عاش أخوان ، ولد وبنت.
كان الولد إسمه شويل والبنت إسمها
شويلة . وكانت لهم أخت متزوجة اسمها
فاطمة . قرر شويل وشويلة أن يذهبا
ليزورا أختهما فاطمة فحملا معهما جوالا
من الذرة هدية لفاطمة . وعند عودتهما
أعطتهما فاطمة بقرة هدية لهما. وفي
الطريق الى البيت قال شويل لأخته
شويلة : -

لقد تعبنا من المشي وليس عندنا
حمار لنركبه ، لنركب هذه البقرة .

فوافقت شويلة و ركب الإثنان على
ظهر البقرة ، وتعب البقرة من حملهما
فأخذها الى النهر لتشرب. وفي ماء

암소가 두 사람 때문에 피곤해지자, 물을 마시도록 하기 위해 강으로 갔다. 쉬와일과 쉬와일라는 강물 속에서 자기네들의 암소와 똑 같이 닮은 다른 암소를 보았다. 쉬와일라가 쉬와일에게 말했다.

"만약에 우리가 고기를 얻기 위해 우리 암소를 잡고 나면, 매일 우유를 얻을 수 있는 암소 한 마리를 강에서 얻을 수 있을 거야."

그들은 집에서 암소를 도살하고는, 고기를 잘게 썬 다음 쟁반에 담아 햇빛에 놓아두었다. 그리고는 집의 문을 닫고 암소 고기를 요리할 장작을 찾으러 나섰다.

النهر رأى شويل وشويلة صورة بقرة تشبه بقرتهما شبهًا شديدًا فقالت شويلة لأخيها شويل : -

إذا ذبحنا بقرتنا هذه لنحصل على بعض اللحم فأنه يمكننا أن نعود ونأخذ البقرة التى فى النهر لنحلب منها اللبن كل يوم .

ذهب شويل وشويلة الى البيت وذبحا بقرتهما ، ثم قطعا اللحم قطعًا صغيرة ووضعاه فى صينية ووضعا الصينية تحت وهج الشمس أغلق شويل وشويلة باب البيت ثم ذهبا يبحثان عن حطب الوقود ليطبخا لهم البقرة .

وفى الطريق قابل شويل وشويلة بعض البائعين الجائعين يبحثون عن طعام ، فقال شويل للبائعين : -

 길을 가던 중에, 그들은 음식을 구하고 있는 몇 명의 굶주린 상인들을 만났다. 쉬와일이 말하기를,
 "우리는 암소를 잡아서 잘게 썬 다음 햇빛에 놓아 두었소. 집은 문을 닫고 고기를 요리할 장작을 주으러 나왔는데, 당신들이 가서 우리 암소 고기를 훔쳐 보시오."
 쉬와일과 쉬와일라가 계속해서 장작을 주워 모으자, 그 상인들은 집에 가서 문을 열고는 고기를 갖고 도망쳐 버렸다.

لقد ذبحنا بقرتنا وقطعنا اللحم
ثم وضعناه تحت الشمس وأغلقنا باب
دارنا وخرجنا نبحث عن حطب الوقود
لنطبخ اللحم ، اياكم أن تذهبوا
وتسرقوا لحم بقرتنا .

واستمر شويل وشويلة فى البحث
عن حطب الوقود ، فذهب البائعون الى
البيت وفتحوا الباب ثم أخذوا اللحم
وهربوا .

أخيرًا عاد شويل وشويلة ، الى البيت
ليطبخا لحم البقرة فلم يجدا الا قطعا
بسيطة من اللحم والعظام يغطيها الذباب.
فذهب شويل وشويلة الى القاضى وقال :

يا حضرة القاضى : لقد ذبحنا
بقرتنا ووضعنا اللحم تحت الشمس
ثم خرجنا نبحث عن حطب الوقود

쉬와일과 쉬와일라가 고기를 요리하러 집에 돌아왔을 때, 파리가 뒤덮혀 있는 뼈다귀와 찌꺼기를 볼 수 있었을 따름이었다. 그 둘은 재판관에게 가서 그에게 말하기를

"재판관님, 파리들이 우리 고기를 모두 먹어버렸습니다."

"만약 그렇다면."

재판관이 지시하기를,

"눈에 보이는 파리를 모두 죽여야 한다. 이 세상에 있는 모든 파리를 죽인다면 그러한 일이 다시는 일어나지 않을 것이다. 두 사람은 모든 파리를 죽여라."

ولكن يا حضرة القاضي حين عادنا الى البيت وجدنا الذباب قد أكل اللحم كله . الذباب يا حضرة القاضي أكل كل اللحم .

عندئذٍ قال القاضي لشويل وشويلة :
اذا كان الأمر كذلك فأنه يجب عليكما أن تقتلا كل ذباب تريانها لأنكما ان لم تقتلا كل الذباب الذي في هذه الدنيا فمن يدري ربما يحدث مثل هذا الشيء مرة أخرى. أقتلا كل الذباب .

وفي تلك اللحظة رأت شويلة ذباب على أنف القاضي وأرادت أن تقتلها فضربت القاضي ضربة شديدة حتى وقع من كرسي ، نهض القاضي من الأرض وقال لشويل وشويلة : ‪-‬

 바로 그 때, 쉬와일라가 재판관 코 위에 앉은 파리를 보고는, 그것을 죽이려다가 재판관을 의자 아래로 나둥그러질 정도로 세게 때려버렸다. 재판관이 땅에서 일어서면서 그 둘에게 말했다.

 "아마도 암소 고기를 먹은 파리들은, 너희들 집 근처에 있을 것이다. 왜 집으로 돌아가지 않는 거냐."

 그래서 두 사람은 파리를 더 죽이기 위해 집으로 왔다. 쉬와일이 쉬와일라에게,

 "만약 네가 이 찌꺼기와 뼈다귀를 갖고 있으면, 파리들이 날아올 것이고, 그 때 내가 그 놈들을 모두 죽이겠다."

ان الذباب الذى أكل لحم بقرتكما موجود بالقرب من بيتكما فلماذا لا تعودا الى بيتكما .

وهكذا عاد شويل وشويلة الى بيتهما ليقتلا مزيدًا من الذباب وقال شويل لأخته شويلة : –

إذا أمسكت هذا اللحم وهذه العظام بين يديك فسوف يأتى الذباب اليك وعندئذٍ أقوم أنا بقتل كل الذباب الذى يأتى .

ثم حمل شويل عصا ضخمة ليقتل بها الذباب ولكنه كان فى كل مرة يضرب أخته شويلة ضربةً موجعة ويطير الذباب بعيدًا وأخيرًا قالت شويلة لأخيها بعد أن أوجعها الضرب : –

أعتقد أننا قد قتلنا عددًا كافيًا

쉬와일이 파리를 죽이기 위해 큰 막대기를 들고 있었으나, 파리는 멀리 날아가고 매번 쉬와일라를 때릴 뿐이었다. 결국, 매만 맞은 뒤에 쉬와일라가 말했다.

"나는 우리가 파리들을 충분히 죽였다고 생각해. 이제 물에서 본 살찐 그 암소를 데리러 강으로 가자구."

من الذباب والآن هيا بنا الى النهر لنحضر تلك البقرة السمينة التى رأينا فى الماء .

아흐만의 예언

어느 나라에 아흐만이라는 선량하고 현명한 사람이 살았는데, 매우 잔인한 왕이 나라를 다스리고 있었다.

마을 밖에 사자 한 마리가 살면서 마을 밖으로 나가는 사람마다 죽이곤 했던 어떤 마을의 가운데 있는 강에는, 강으로 물을 가지러 가는 사람은 누구든지 죽이곤 하는 악어가 있었다.

نبوءة أحمد

عاش فى بلد من البلاد رجل اسمه أحمد. كان أحمد رجلا حكيما وصالحًا. وكان يحكم تلك البلاد ملك ظالم.

وفى خارج البلدة كان يعيش أسد يقتل كل شخص يذهب خارج البلدة. وفى نهر وسط البلدة كان يوجد تمساح يقتل كل شخص يأتى ليأخذ الماء من النهر.

وهكذا عاش أهل البلدة فى شقاء مستمر. فهم لا يستطيعون الخروج من البلدة خوفا من الأسد، ولا يستطيعون أخذ الماء من النهر خوفا من التمساح.

أما الملك الظالم فلم يكن يساعدهم فى شىء.

  그리하여 마을 사람들은 사자에 대한 두려움 때문에 마을 밖으로 나갈 수 없었고, 악어가 무서워 강에서 물을 가져올 수 없어, 계속해서 불행하게 살았다.

  왕으로 말할 것 같으면 아무것도 그들을 돕지 않았다. 그 포악한 왕은 사람들에게서 세금을 걷어들이기 위해 그의 군대를 보낼 뿐, 전혀 마을 사람들을 도와주지 않았던 것이다.

  사람들이 아흐만에게 가서 그에게 어떻게 해야 할 것인가를 물었다. "걱정할 것 없습니다" 아흐만이 말했다. "왜냐하면 사악한 왕과 사자, 악어가 같은 날, 같은 장소에서 모두 죽을 텐데, 그 날이 곧 바로 올 것이기 때문이죠."

  어느날 아침, 사자가 물을 마시러 강에 왔을 때, 악

كان الملك الظالم يرسل جنوده ليجمعوا من الناس الضرائب ولكنه لم يكن يساعدهم أبدًا .

فذهب الناس الى أحمد وسألوه ماذا يفعلون ؟

فقال لهم أحمد : -

لا تقلقوا ، لأن هذا الملك الظالم والأسد والتمساح سوف يموتون كلهم فى يوم واحد وفى مكان واحد وان ذلك اليوم سوف يأتى قريبًا جدًا .

ذات صباح أتى الأسد ليشرب من النهر فرآه التمساح ولما رأى التمساح الأسد هجم عليه وقبض التمساح ساق الأسد بين فكيه . فزأر الأسد زئيرًا عاليًا وجر التمساح الى شاطئ النهر وصارا يقتتلان .

어가 그를 보고는 그 주둥이로 사자의 다리를 물었다. 사자는 무섭게 우르렁거리며 악어를 강 기슭으로 끌어올렸고, 둘은 싸움을 계속했다.

왕이 그 소리를 듣고는, 두 맹수가 싸우는 것을 보기 위해, 자신의 낙타를 타고 강을 향하여 출발하였다.

낙타가 사자와 악어를 보았을 때, 크게 놀라서 공중으로 높이 뛰어 올랐다. 그리하여 그만 왕은 낙타에서 떨어져 땅 위에 사정없이 처박혀 죽고 말았다.

사자와 악어는 그들이 서로에게 먹힐 때까지 싸워대다가 죽게 되었다. 그래서, 그 포악한 왕과 사자, 그리고 악어는 선량하고 현명한 아호만이 말했던 것처럼, 같은 날, 같은 장소에서 모두 죽고야 말았다.

وسمع الملك صياحًا عاليًا فركب
جمله وتوجه نحو النهر ليرى الوحشين
يتقاتلان .

وعندما رأى الجمل الأسد والتمساح
خاف خوفًا شديدًا وقفز عاليًا فى الهواء
فطار الملك من على ظهر الجمل ووقع
على الأرض وقعة شديدة فمات .

واستمر الأسد والتمساح يتقاتلان الى
أن أكل بعضهما وماتا .

وهكذا مات الملك الظالم والأسد
والتمساح فى يوم واحد ومكان واحد
مثلما قال أحمد ، الرجل الحكيم الصالح.

마흐좁과 늑대

 예전에 마흐좁이라 불리우던 사람이 그의 친구인 바크리를 방문하러 이웃 마을에 갔다. 그 마을의 근처에 사나운 늑대 한 마리가 살고 있었다. 그 늑대는 매일 밤 마을에 들어와 서너 마리의 양을 죽이곤 하였다.
 마을의 노인들이 그 늑대의 일을 토의하기 위해 모였다. 한 사람이 말하기를, 우리의 양들을 집안으로 들여 놓아야 합니다. "그렇지만 우리들 집은 작고 우리

محجوب والذئب

ذات مرة ذهب رجل اسمه محجوب الى قرية مجاورة ليزور صديقًا له يدعى بكرى .

وفى أظراف القرية كان يعيش ذئب يدخل القرية كل ليلة ويقتل ثلاثة أو أربعًا من الأغنام .

واجتمع شيوخ القرية يتشاورون فى أمر الذئب .

قال أحد الرجل : -

يجب علينا حفظ أغنامنا داخل منزلنا

فقال رجل آخر : -

ان بيوتنا ضيقة وأغنامنا كثيرة

는 많은 양을 가지고 있습니다." 다른 사람이 귀띔했다.

현명한 한 노인이 얘기했다.

"늑대가 많은 수를 죽이기는 하지만, 매일 밤 양 한 마리를 먹을 뿐입니다." "우리가 매일 밤 양 한 마리를 마을 밖에 놓아두어 그 놈이 마을에 들어와 더 많은 양을 죽이지 않도록 합시다."

그 마을에는 서른 가구쯤이 살았었다. 매일 밤 다른 가정이 늑대가 먹을 양 한 마리를 대주곤 하였다. 마흐좁이 그 마을에 왔을 때, 그의 친구 바크리가 늑대

ثم تحدث شيخ عجوز حكيم فقال : ـ

إن الذئب يأكل معزة واحدة فى كل ليلة ، رغم أنه يقتل أكثر من ذلك فلنعط الذئب كل ليلة معزة واحدة نضعها له خارج القرية حتى لا يدخل الى القرية ليقتل مزيدًا من الأغنام

وكان فى القرية ثلاثون بيتًا وكان على كل بيت من الثلاثين بيتًا أن يقدم معزة واحدة للذئب . وحينما وصل محجوب الى القرية كان الدور على صاحبه بكرى ليتقدم معزة الى الذئب. وبعد أن تناول الطعام الذى قدم اكراما له أخذ محجوب ربابته وبدأ يغنى : ـ

أنام ليس على بسطة فراشيا
ستلقانى لو جئتنى يا ذئب واعيا

에게 양을 대줄 차례였다. 그를 접대하기 위해 장치가 열린 뒤에, 마흐좁은 자신의 수금을 집어 들고 노래하기 시작했다.

밤이 깊었을 때, 늑대가 평소와 같이 양을 발견할 것을 기대하면서 왔다. 그러나 나무 뒤에 마흐좁이 기다리고 있다가 뛰어나와서 늑대를 창으로 찔러 죽였다.

아침에 마을 사람들은 죽어있는 늑대를 발견하고는 크게 기뻐하면서, 마흐좁에게 마을에 남아서 살도록 부탁했다.

أنام ليس على بسطة فراشيا
وأنت تطعم الشياه والرواعيا
ستلقانى لو جئتنى يا ذئب واعيا

ولما تأخر الليل أتى الذئب متوقعًا أن يجد معزته المألوفة ولكن محجوب كان فى إنتظاره خلف شجرة. هجم محجوب على الذئب وطعنه بحربته فقتله. وفى الصباح وجد أهل القرية الذئب مقتولا ففرحوا فرحًا عظيمًا، ودعوا محجوب ليبقى ويعيش فى قريتهم.

وقال بكرى لصاحبه محجوب : -
سوف أعطيك ابنتى سارة لتتزوجها
قال باقى أهل القرية لمحجوب : -
وكل واحد منا سوف يعطيك معزتين
وهكذا عاش محجوب وزوجته ساره

바크리가 말하기를 "나는 자네가 내 딸 사라와 결혼하도록 하겠네."

다른 마을 사람들이 마흐좁에게 말했다.

"우리들이 각각 두 마리의 양을 당신에게 드리겠소."

그리하여, 마흐좁과 그의 아내 사라와 양들은 마을 사람들과 함께 안전하고 평화롭게, 그리고 행복하게 살았다.

وأغنامه فى أمان وسلام وسعادة مع أهل القرية .

```
판 권
본 사
소 유
```

기초 아랍어 會話

2013년 1월 25일 재판
2013년 1월 30일 발행

지은이 / 편　집　부
펴낸이 / 최　상　일

펴낸곳 / **太乙出版社**
서울특별시 중구 신당6동 52-107 (동아빌딩 내)
등록 / 1973년 1월 10일(제4-10호)

©2001, TAE-EUL publishing Co., printed in Korea
잘못된 책은 구입하신 곳에서 교환해 드립니다.

■ **주문 및 연락처**

우편번호 １００-４５６
서울특별시 중구 신당6동 52-107 (동아빌딩 내)
전화 / 2237-5577　팩스 / 2233-6166

ISBN 89-493-0215-2　13790